もう初級者なんて言わせない
韓国語

中級から上級編

金秀晶 ・ 朴鍾厚 著

白帝社

音声と模範解答ダウンロードサービスについて

■ 本書の音声ファイル(MP3)を無料でダウンロードすることができます。
「白帝社　もう初級者なんて言わせない韓国語　音声」で検索、または以下の音声一覧ページにアクセスしてください。

http://www.hakuteisha.co.jp/news/n39650.html

● 本文中の 00 マークの箇所が音声ファイル(MP3)提供箇所です。PCやスマートフォン(別途解凍アプリが必要)などにダウンロードしてご利用ください。

*デジタルオーディオプレーヤーやスマートフォンに転送して聞く場合は、各製品の取り扱い説明書やヘルプ機能によってください。

*各機器と再生ソフトに関する技術的なご質問は、各メーカーにお願いいたします。

*本書と音声は著作権法で保護されています。

■ 本書の本文の日本語訳・模範解答をPDFでダウンロードしてご利用いただけます。
「白帝社　もう初級者なんて言わせない韓国語　PDF」で検索、または以下のページにアクセスしてください。

http://www.hakuteisha.co.jp/news/n39651.html

まえがき

韓国語は、日本語と類似しているため日本人にとって学習を始めやすい言語だとされている。しかし、学習を始めても多くの方が入門や初級レベルに留まってしまうのみで中上級に進めないのが実状でもある。理由は様々であると思うが、現在日本の中上級学習者の多様なニーズに合わせた言語教育的に適切な教材があまり出版されていないことも挙げられる。これが、この本を執筆することになった理由でもある。

『もう初級者なんて言わせない韓国語　中級から上級編』は、韓国語中上級を目標とする学習者のためのものである。そのため、「国際通用韓国語標準教育課程」の中級(3、4級)の語彙と文法項目を中心に、一部の上級(5、6級)の語彙と文法項目も取り入れた。文法や表現の解説はもちろんのこと、言語の4技能が十分身に付くように様々な練習問題と、演劇やインタビューなどのタスク課題も設けられている。特に、学問目的の韓国語習得のためのプレゼンテーションやディベートなどへの入門過程も取り入れた。

また、学習者の自己主導学習のために付録として聴解のスクリプトと単語リストを添付し、本文の会話と聴解問題の録音ファイルや練習問題の模範解答も出版社のホームページからQRコードでダウンロードできるようにした。

本書は全12課となっており、各課は基本的に「本文 — 内容チェック — 単語及び表現 — 練習問題(語彙) — ディクテーションの練習 — 文法 — 練習問題(文法) — 活動(会話・読解・聴解・作文など)」で構成されている。これは、中上級を目指している学習者の自己主導学習だけではなく日本の大学教育機関の授業の中でも使用するように設けられたもので、1回100分授業を基準とした場合では第1課当たり4回、計80時間で全課を終わらせることができると思う。一方、付加資料として提供している「韓国語チャットルーム」と「講読資料」は、言語と文化に関する教養資料として活用してもらいたい。

2021年　春

金秀晶・朴鍾厚

教授要目

	タイトル	課題	文法	活動	資料
1課	전주 사람들은 음식에 대한 자부심이 강해요.	自己紹介をしてみよう。	1.動・形+(었)던 名 2.動・形+잖아요 3.間接話法(引用)	▶ 듣기×말하기 ▶ 읽기×말하기	
2課	왜 그렇게 문자 확인을 안 하니?	友達との仲直り	1.반말(한다체/해체) 2.動・形+더라	▶ 읽기×말하기/쓰기 ▶ 쓰기×말하기 ▶ 듣기	▶ 韓国語チャットルーム ▶ 講読資料1 한글, 세계의 위대한 문화 유산
3課	참치회를 못 먹게 될지도 몰라.	自分が興味を持っているテーマで会話をしてみよう。	1.動・形+기는 하다 2.動・形+기만 하다 3.動・形+을지 걱정이다 4.動+자마자	▶ 읽기×말하기/쓰기 ▶ 쓰기×말하기 ▶ 듣기	
4課	어디 먼 곳으로 놀러 갔으면 좋겠다.	友達と一緒に旅行の計画を立ててみよう。	1.動・形+었으면 좋겠다 2.動・形+을 겸 3.動・形+(었)을 텐데	▶ 읽기×말하기 ▶ 듣기×말하기	
5課	볼수록 예쁜 옷들이 많아서 뭘 사야 할지 모르겠어.	友達と買い物に出かけてみよう。	1.動・形+으면 動・形+을수록 2.形+어 보이다 3.文中疑問形 4.動+나 보다 形+은가보다	▶ 듣기×말하기	講読資料2 한국 음식의 매운 맛
6課	흥부와 놀부	韓国の昔話を読んで、演じてみよう。	연극하기/녹음하기	▶ 읽기×말하기 ▶ 쓰기×말하기 ▶ 듣기	
7課	저녁 시간이니까 좀 기다려야 할지도 모르겠다.	友達と食べ物の話で盛り上がってみよう。	1.動・形+기는커녕 2.動・形+(었)을지도 모르겠다 3.連体形+모양이다 4.動+을 줄 알다/모르다	▶ 듣기×말하기 ▶ 읽기×말하기	

8課	비행기에 반려동물을 태울 수 있어?	友達とペットの話をしてみよう。	1.動+다가 動+었다가 2.動+을 뻔하다 3.動+든지 4.使役表現	▶ 읽기×말하기/쓰기 ▶ 쓰기×말하기 ▶ 듣기	▶ 韓国語 チャットルーム
9課	아직 기침도 하고 열도 다 안 내려가서요.	病院で自分の症状を伝えてみよう。	1.動・形+었던데 2.連体形+줄 알았다/몰랐다 3.動・形+고도	▶ 듣기×말하기	▶ 講読資料3 한국어는 왜 띄어쓰기를 할까?
10課	과거로 돌아가 운명을 바꿀 수 있다면	友達と思い出話をしてみよう。	1.受け身 2.動・形+거든(요) 3.動+으려면	▶ 읽기×말하기/쓰기 ▶ 쓰기×말하기 ▶ 듣기	
11課	이번 상도 다 그분들 덕분입니다.	インタビューをしてみよう。	1.動・形+(었)을 따름이다 2. 動+은/ㄴ 덕분에~ 3. 動・形+을 수밖에 없다 4. 動・形+어야지	▶ 말하기	▶ 講読資料4 한글이 걸어온 길
12課	탕수육은 소스를 부어서 먹어야 맛있다? 찍어서 먹어야 맛있다?	テーマを決め、チームに分かれてディベートをしてみよう。	1. 動+어 버리다 2. 動・形+게 되다 3. 動+고자 하다	▶ 읽기×말하기/쓰기 ▶ 쓰기×말하기	

目次

まえがき …… i

授業要目 …… iv

제1과

전주 사람들은 음식에 대한 자부심이 강해요. …… 2

自己紹介をしてみよう。

제2과

왜 그렇게 문자 확인을 안 하니? …… 14

友達との仲直り

講読資料1 …… 25

제3과

참치회를 못 먹게 될지도 몰라. …… 26

自分の興味のあるテーマで会話をしてみよう

제4과

어디 먼 곳으로 놀러 갔으면 좋겠다. …… 38

友達と一緒に旅行の計画を立ててみよう。

제5과

볼수록 예쁜 옷들이 많아서 뭘 사야 할지 모르겠어. …… 48

友達と買い物に出かけてみよう。

講読資料2 …… 57

제6과

흥부와 놀부 …… 58

韓国の昔話を読んで、演じてみよう。

제7과

저녁 시간이니까 좀 기다려야 할지도 모르겠다. …… 68

友達と食べ物の話で盛り上がってみよう。

제8과
비행기에 반려동물을 태울 수 있어? 78

友達とペットの話をしてみよう。

제9과
아직 기침도 하고 열도 다 안 내려가서요. 94

病院で自分の症状を伝えてみよう。

講読資料3 101

제10과
과거로 돌아가 운명을 바꿀 수 있다면 102

友達と思い出話をしてみよう。

제11과
이번 상도 다 그분들 덕분입니다. 116

インタビューをしてみよう。

講読資料4 123

제12과
탕수육은 소스를 부어서 먹어야 맛있다? 찍어서 먹어야 맛있다? 124

テーマを決め、チームに分かれてディベートをしてみよう。

付録

聴解のスクリプト

語彙リスト(韓→日)

もう初級者なんて
言わせない

韓国語

中級から上級編

제 1 과 전주 사람들은 음식에 대한 자부심이 강해요.

自己紹介をしてみよう。

리나 보라

02 **会話1** 처음 만나서

리나 : 보라 씨, 반가워요. 유토 씨한테서 얘기 많이 들었어요. 이번에 교환학생으로 오셨다고요? 전 리나예요.

보라 : 안녕하세요? 저도 리나 씨 얘기 많이 들었어요. 한국에 산 적이 있어서 한국어를 잘하신다고요? 우리 앞으로 사이좋게 지내요.

리나 : 네, 저도 잘 부탁해요. 근데 한국 어디에서 오셨어요?

보라 : 저는 전주에서 왔어요. 리나 씨, 혹시 전주라고 들어 보셨어요?

리나 : 네. 제가 예전부터 알고 지내던 한국 언니가 전주에 살아서 몇 번 가 본 적이 있어요. 한국에서도 음식이 맛있는 곳으로 유명하잖아요.

보라 : 맞아요. 잘 아시네요. 그래서 우리 전주 사람들은 음식에 대한 자부심이 강해요.

유토 보라

03 **会話2** 다른 친구 이야기하기

유토 : 그제 리나 씨를 만났다고 들었어요. 어땠어요?

보라 : 네, 아주 상냥하고 좋은 사람인 거 같아요. 한국에 대해서도 많이 아는 것 같고요. 다음에 만나면 말도 놓기로 했어요.

유토 : 그래요? 잘 됐네요. 리나 씨는 한국에 친구가 많이 있어서 자주 놀러 간대요.

보라 : 저희 고향인 전주에도 가 봤다고 해서 저도 깜짝 놀랐어요.

유토 : 맞아요. 예전에 전주에 갔다 와서 비빔밥이 진짜 맛있다고 했어요. 리나 씨도 보라 씨처럼 음식 문화에도 관심이 많으니까 두 사람이 마음이 잘 맞을 거예요.

보라 : 그래요? 다음에 만나면 일본의 음식 문화에 대해서 좀 가르쳐 달라고 해야겠어요.

유토 : 그렇지 않아도 리나 씨가 다음에는 셋이 같이 만나재요.

内容チェック

会話1と2の内容と一致するものは○、一致しないものは×をしよう。

❶ 리나 씨는 한국에 있을 때 전주에 산 적이 있다. (　　)

❷ 보라 씨는 리나 씨랑 만나기 전부터 유토 씨를 알고 있었다. (　　)

❸ 다음에는 셋이서 같이 만날 것이다. (　　)

❹ 보라 씨의 고향인 전주는 음식이 아주 맛있다고 한다. (　　)

単語

새로	副	新たに、改めて	사이좋다	形	仲が良い
전주	名	全州(地名)	예전	名	以前
혹시	副	もしかすると	상냥하다	形	気さくで優しい
자부심	名	自負心、プライド			

表現

알고 지내다	知り合いだ	마음이 맞다	気が合う
名+에 대해서	名+について	말을 놓다	ため口にする
갔다 오다	行って来る		

練習問題1(語彙)

혹시　마음　자부심　새로　예전　사이

⑴ 가 : (　　　) 박 선생님 아니세요?

나 : 네, 맞는데요. 누구시지요?

⑵ 가 : 어떤 사람하고 결혼하고 싶어요?

나 : 저는 저랑 (　　　)이 맞는 사람과 결혼하고 싶어요.

⑶ 가 : 사실 (　　　)부터 묻고 싶었던 게 있는데요, 물어봐도 돼요?

나 : 네, 괜찮아요. 뭔데요?

⑷ 가 : 지난번 회사는 그만두고 이번에 (　　　) 취직했다면서요?

나 : 네, 이번 회사는 다들 잘해 주고 분위기도 훨씬 밝고 좋아요.

ディクテーションの練習

04

①＿＿＿＿＿＿＿＿＿＿＿＿＿＿＿＿＿＿＿＿＿＿＿＿

②＿＿＿＿＿＿＿＿＿＿＿＿＿＿＿＿＿＿＿＿＿＿＿＿

③＿＿＿＿＿＿＿＿＿＿＿＿＿＿＿＿＿＿＿＿＿＿＿＿

④＿＿＿＿＿＿＿＿＿＿＿＿＿＿＿＿＿＿＿＿＿＿＿＿

文法

1. 動・形＋던 名

   動・形＋었던/았던/였던 名

解説 過去の(一定の長さを持った)ある一時点から目撃した動作や状態を用いて名詞を修飾するときに使われる。目に浮かぶような過去を語るときに使われるので、「過去回想の連体形」ともいう。

❶ 動詞

・–던：過去の動作が完了せず中断されたことを表す。持続や反復を表したりもあうる。

例 아까 내가 **마시던** 커피가 어디에 있지? (中断)

친구랑 자주 **가던** 음식점인데 아주 맛있어요. (反復)

・–었던/았던/였던：完了の意味が強い。

例 지난번에 **마셨던** 커피, 이름이 뭐지?

친구랑 자주 **갔던** 음식점인데 요즘은 잘 안 가요.

❷ 形容詞

・–던：単純過去を表す。実際は不自然な場合が多い。

・–았던/었던/였던：過去の状態との断絶や状態変化の意味が含まれる。

例 누나가 **열 살이던** 해에 우리 가족은 서울로 이사를 왔다고 한다.

까맣던 얼굴이 어느새 하얘졌다.

그렇게 **작았던** 영희가 이렇게 컸다는 말이야?

練習問題2(文法)

1. 2つの文を繋ぎ、日本語訳をしてみよう。

例 고등학생 때 자주 갔어요. 그 가게에 오랜만에 가고 싶어요.

➜ 고등학생 때 자주 **가던** 가게에 오랜만에 가고 싶어요.

日本語訳：高校の時よく通っていた店に久しぶりに行ってみたいです。

⑴ 한국에 갔을 때 가끔 먹었어요. 그 음식을 또 먹고 싶네요.

➜ ______________________________

日本語訳：______________________________

⑵ 친구랑 자주 불렀어요. 그 노래가 이 노래예요?

➜ ______________________________

日本語訳：______________________________

⑶ 졸업식 때 입었어요. 그 옷이 어디에 있는지 모르겠어요.

➜ ______________________________

日本語訳：______________________________

⑷ 초등학교 때 사이가 좋았어요. 그 친구하고 지금은 연락을 안 해요.

➜ ______________________________

日本語訳：______________________________

⑸ 어렸을 때는 키가 더 작았어요. 동생이 지금은 저보다 더 커요.

➜ ______________________________

日本語訳：______________________________

2. 動・形＋잖아(요)

解説 聞き手も知っているはずの事実や状況について確認を取ったり、訂正をしたり、理由を付け加えたりするときに使う。

例 ⑴ 행복은 성적순이 **아니잖아요**.

⑵ A：어제 비가 갑자기 **왔잖아요**. 우산을 안 가지고 가서 비를 다 맞았어요.

B：그러니까 제가 아침에 우산을 가지고 가라고 **했잖아요**.

⑶ A：이번에는 생각만큼 성적이 안 나올 거 같아 걱정이에요.

B：그러니까 엄마가 **말했잖아**. 너무 자만하지 말고 열심히 하라고.

A：맞아요. 엄마 말을 들을 걸 그랬어요.

練習問題3(文法)

1.「－잖아요」を使い、下記の会話を完成させてみよう。

⑴ 가：이번주 영어 숙제 너무 어렵지 않아요? 누가 나 좀 도와줄 사람 없을까요?

나：유카 씨한테 부탁해 보세요. 유카 씨가 ________________

⑵ 가：오늘따라 길이 많이 막히네요. 늦으면 안 되는데 어떡하죠?

나：그럼 우리 지하철로 갈아타요. ________________

⑶ 가：곧 시험인데 이렇게 공부도 하지 않고 놀기만 해서 되겠어?

나：괜찮아. ________________

⑷ 가：나미 씨는 그 가게의 라멘을 정말 좋아하시는군요!

나：네. ________________ 유토 씨는 맛없어요?

⑸ 가：요즘 왜 그렇게 연락도 없어? 그렇게 바빠?

나：응, 너도 알겠지만 ________________

3. **間接話法(引用)**：他の場で拾得した話などを引用したり、第3者に伝えたりするときに使われる。

3-1. 基本形

叙述	現在	動詞	[動]+는다고/ㄴ다고 하다
		形容詞	[形]+다고 하다
		名詞	[名]이라고/라고 하다
	過去		[動]・[形]+었다고/았다고/였다고 하다
	未来		[動]・[形]+을/ㄹ 거라고 하다
命令	命令	肯定	[動]+으라고/라고 하다
		否定	[動]+지 말라고 하다
	依頼	肯定	[動]+어/아/여 달라고 하다
		否定	[動]+지 말아 달라고 하다
勧誘	肯定		[動]+자고 하다
	否定		[動]+지 말자고 하다
疑問	現在	動・形	[動]・[形]+냐고 하다
		名詞	[名]+이냐고/냐고 하다
	過去		[動]・[形]+었냐고/았냐고/였냐고 하다

注意1 韓国語の場合、動詞文の否定は動詞文、形容詞の否定は形容詞文になる。したがって、動詞の後置否定(現在)の引用は「−지 않는다고」、形容詞は「−지 않다고」となる。

注意2 引用形語尾の「−고」の後に付く引用動詞は基本的に「하다」がよく使われるが、文脈によっては「말하다, 듣다, 묻다, …」などの動詞も使える。時制も現在形だけではなく、文脈によって過去形なども使える。

[例] 일기예보를 보니까 내일은 비가 **온다고** 해요.
유토 씨는 한국에 가 본 적이 **있다고** 해요.
신문 기사에 따르면, 요즘 경제적 양극화가 큰 **문제라고** 합니다.
어머니가 아이한테 밥을 천천히 **먹으라고** 했어요.

3-2. 縮約形：話し言葉でよく使われる形式。大まかに言って「-고 하-」を省略して間をくっつけばよい。

			합니다体	해요体
叙述	現在	動詞	+는답니다/ㄴ답니다	+는대요/ㄴ대요
		形容詞	+답니다	+대요
		名詞	+이랍니다/랍니다	+이래요/래요
	過去		+었/았/였답니다	+었/았/였대요
	未来		+을/ㄹ 거랍니다	+을/ㄹ 거래요
命令	命令	肯定	+으랍니다/랍니다	+으래요/래요
		否定	+지 말랍니다	+지 말래요
	依頼	肯定	어/아/여 달랍니다	+어/아/여 달래요
		否定	+지 말아 달랍니다	+지 말아 달래요
勧誘	肯定		+잡니다	+재요
	否定		+지 말잡니다	+지 말재요
疑問	現在	動・形	+냡니다	+내요
		名詞	+이냡니다/냡니다	+이내요/내요
	過去		+었/았/였냡니다	+었/았/였내요

例 일기예보를 보니까 내일은 비가 온다고 해요.

➜ 縮約形 일기예보를 보니까 내일은 비가 **온대요**.

유토 씨는 한국에 가 본 적이 있다고 해요.

➜ 縮約形 유토 씨는 한국에 가 본 적이 **있대요**.

요즘 세계적으로 경제적 양극화가 큰 문제라고 합니다.

➜ 縮約形 요즘 세계적으로 경제적 양극화가 큰 **문제랍니다**.

어머니가 아이한테 밥을 천천히 먹으라고 했어요.

➜ 縮約形 어머니가 아이한테 밥을 천천히 **먹으랍니다**.

영미가 저한테 좀 도와 달라고 했어요.

➜ 縮約形 영미가 저한테 좀 **도와 달래요**.

練習問題4(文法)

1. 間接話法の「해요」体を使い、次の文を書きなおしてみよう。

(1) 야나기：지금 밥을 먹습니다.	
基本形 야나기 씨가 지금 밥을 먹는다고 해요.	**縮約形** 야나기 씨가 지금 밥을 먹는대요.
(2) 영수：요즘 좀 바빠요.	
(3) 리나：저는 일본 사람이에요.	
(4) 하나：미선 씨가 지난달에 고향에 돌아갔습니다.	
(5) 마리나：내일 동생이 여행을 갈 거예요.	
(6) 박 선생님：여러분, 열심히 공부하십시오.	
(7) 김 선생님：수업 시간에 지각하지 마세요.	
(8) 정국：일본어 좀 가르쳐 주세요.	
(9) 이토：같이 여행을 갑시다.	
(10) 다나카：오늘은 동아리에 가지 맙시다.	
(11) 영수：저 분이 선생님입니까?	
(12) 유토：학교 숙제가 많습니까?	
(13) 리나：어제도 아르바이트를 하러 갔어요?	

2. 文脈に合わせて間接話法を使い、会話を完成させてみよう。

昨日、「지민」さんはスキーに行ってケガをし、入院したそうです。この状況を踏まえ、以下の会話を完成させてみよう。

유토 : 지민 씨 얘기 들었어요?

보라 : 무슨 얘기요?

유토 : 지민 씨가 어제 병원에 ① ______________

보라 : 진짜요? 어쩌다가요?

유토 : 친구들이랑 같이 스키를 타러 갔는데 ② ______________

보라 : 저런! 그래서 ③ ______________?

유토 : 아니요. 그래도 그렇게 심하게 다치지는 않은 것 같아요.

보라 : 다행이네요. 그런데 병문안 안 가세요?

유토 : 그렇지 않아도 영희 씨가 내일 같이 ④ __________ 는데 보라 씨도 같이 가실래요?

보라 : 그래요? 어쩌나…, 내일은 제가 다른 친구랑 약속이 있는데…

유토 : 괜찮아요. 그럼 보라 씨는 다음에 시간 날 때 갔다 오세요.
지민 씨한테는 ⑤ ____________ 전해 드릴게요.

보라 : 고마워요. 저도 모레쯤 시간 내서 가 봐야겠네요.
내일 병문안 가시면 지민 씨한테 ⑥ __________ 전해 주세요.

유토 : 네, 알겠어요.

보라 : 그럼 잘 다녀오시고요!

① ____

② ____

③ ____

④ ____

⑤ ____

⑥ ____

活動：
듣기×
말하기

05

次の会話を聴いて、質問に答えよう。

1. 関西旅行で訪ねていない地域はどこですか? (　　)

① 나라　② 오사카　③ 고베　④ 교토

2. 関西へ旅行に行った理由は何ですか? (　　)

① 예전부터 가 보고 싶은 곳이어서

② 간사이에 친척이 살고 있어서

③ 한국 친구가 놀러 온다고 해서

④ 오사카 사람들을 관찰하고 싶어서

3. 会話の内容と一致するものは○、一致しないものは×をしよう。

① 보라 씨는 이번에 처음으로 간사이 지방을 여행했어요. (　　)

② 도쿄와 서울은 에스컬레이터에서 서는 위치가 같아요. (　　)

③ 리나 씨는 고베에 가서 고베규를 먹은 적이 없어요. (　　)

④ 두 사람은 다음에 같이 여행을 갈 거예요. (　　)

4. 여러분의 고향과 다른 지역을 비교해 봅시다. 비슷한 점은 무엇이고 다른 점은 무엇입니까?

活動：
읽기×
말하기

안녕하세요? 다카네 리나입니다. 저는 지난 방학에 한국에 갔다 왔습니다. 매번 한국에 가면 주로 서울에만 있었기 때문에 이번에는 오랜만에 전주에 다녀왔습니다. 전주에는 아는 언니가 살고 있어서 전에도 몇 번 가 본 적이 있지만 이번처럼 혼자서 이곳저곳을 돌아다닌 것은 처음이었습니다.

전주는 한국의 남서부에 위치해 있는데, 전라북도에서 가장 큰 도시입니다. 예부터 한국에서 음식이 맛있는 것으로 유명한데, 특히 비빔밥과 콩나물국밥이 아주 맛있습니다. 여러분도 서울에 가시면 음식점 간판에 '전주 비빔밥' 이나 '전주 콩나물국밥' 이라고 쓰여 있는 것을 보신 적이 있으실 것입니다. 전주가 그 음식의 본고장이라는 것이지요.

또 전주에는 한옥마을도 있습니다. 서울에 있는 북촌 한옥마을에는 가 보신 분들도 계시지요? 서울보다 전주의 한옥마을이 더 크고 오래되었답니다. 한옥마을에는 단순히 전통 가옥만이 남아 있는 것이 아닙니다. 거기에 가면 한복을 입어 보는 체험도 할 수 있고, 한지 공예나 부채 만들기 등 다양한 전통 공예 체험도 가능합니다. 또 탈춤이나 사물놀이, 판소리 등 다양한 전통 공연도 볼 수 있습니다. 전주 한옥마을은 한국의 전통과 문화, 활기 넘치는 사람들의 마을입니다.

여러분도 다음에 한국에 가시면 서울에만 계시지 말고 한국의 이곳저곳을 구석구석 여행해 보세요. 서울에서는 느낄 수 없는 한국 문화의 참맛을 느낄 수 있으실 것입니다. 그때 전주에 가 보는 것도 잊지 마시고요!!!

돌아다니다(歩き回る、巡る)　예부터(昔から)　본고장(本場)　가옥(家屋)
체험(体験)　공예(工芸)　부채(扇子)　활기가 넘치다(活気あふれる)
구석구석(隅々)　참맛(珍味、真髄)

1. 리나 씨는 이번 방학에 어디에 다녀왔습니까? 그곳은 한국에서 무엇으로 유명한 곳입니까?

---

2. 서울에 있는 음식점 간판에 '전주' 라는 이름이 쓰여 있는 이유는 무엇입니까?

---

3. 본문의 내용과 맞으면 ○, 틀리면 ×하세요.

① 리나 씨는 한국에 가면 항상 혼자서 여기저기 돌아다녀요. (　　)

② 비빔밥과 콩나물국밥은 전주의 대표적인 음식이에요. (　　)

③ 한옥 마을은 한국에서 전주에만 있어요. (　　)

④ 전주 한옥마을에서는 한국의 전통 의상을 입어볼 수 있어요. (　　)

4. 지금까지 여행으로 다녀 본 곳 중에서 어디가 제일 마음에 들었습니까? 그곳에 대하여 친구들한테 소개해 봅시다.

評価

✔ Self Check ☆☆☆☆☆

✔ Group Check ☆☆☆☆☆

제2과 왜 그렇게 문자 확인을 안 하니?

友達との仲直り

보라　리나

06 **会話1** 역 앞에서

보라 : 많이 기다렸지? 미안해….

리나 : 아니야. 나도 지금 막 왔어.

보라 : 휴, 다행이다. 사실은 엄청 걱정하면서 왔거든.

리나 : 왜? 무슨 일 있었어?

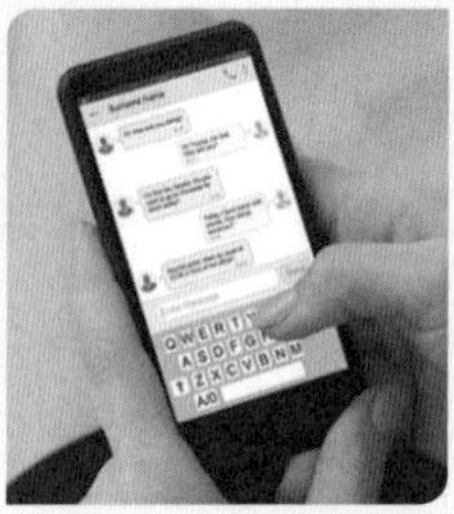

보라 : 내가 늦는다고 문자를 보냈는데 니가 안 보더라고….

리나 : 아…, 휴대폰이 가방 안에 있어서 못 봤어.

보라 : 문자 좀 확인해! 십분에 한 번씩은 확인해야 되는 거 아냐?

보라　리나

07 **会話2** 걸어가면서

보라 : 미안해. 오늘 되는 일이 없다 보니까 너한테 화를 내 버렸어….

리나 : 알았어. 오늘만 봐 줄게. 앞으로는 나한테 화풀이하지 마.

보라 : 오늘 갈 집은 <놀부네>라는 음식점이야. 음식이 전체적으로 좀 매운데 괜찮겠어?

리나 : 매운 음식도 자꾸 먹다 보니까 괜찮아졌어. 그런데 <놀부>가 사람 이름이야? 진짜 웃긴다.

보라 : 옛날이야기에 나오는 주인공 이름인데, 욕심쟁이나 심술궂은 사람을 ' 놀부 ' 같은 사람이라고 불러.

리나 : 기다리느라고 배가 많이 고파졌어. 오늘은 놀부처럼 많이 먹어야겠다. ㅋㅋ

보라 : 신경질을 내서 미안해. 내가 오늘 밥 살게.

리나 : 됐어. 그냥 더치페이하자.

内容チェック

会話1と2の内容と一致するものは○、一致しないものは×をしよう。

❶ 보라 씨는 약속에 늦는다고 문자를 보냈다. (　　　)

❷ 리나 씨의 휴대폰은 가방 안에 있었다. (　　　)

❸ 욕심쟁이들이 가는 식당이 〈놀부네〉이다. (　　　)

❹ 보라는 신경질을 내서 미안하다는 뜻으로 밥을 샀다. (　　　)

単語

엄청	副	とてつもなく	욕심쟁이	名	欲張りな人
걱정하다	動	心配する	심술궂다	形	意地悪だ
화풀이	名	八つ当たり	더치페이	名	割り勘
놀부	名	韓国の昔話に出る欲張りな人としての象徴的な人物			

表現

화를 내다	～に怒る	신경질을 내다	神経を高ぶらせる

練習問題1(語彙)

화풀이　욕심쟁이　심술궂다　신경질　엄청

(1) 가 : 산타 할아버지한테서 뭘 받고 싶어?

나 : 장난감, 케이크, 고양이를 선물 받고 싶어요. 아, 참! 게임기도요.

다 : 지민아, 그렇게 (　　　　　　　)처럼 많이 바라면 하나도 못 받을 수도 있어. 너무 욕심 부리지 마.

(2) 가 : 중국의 태산이 (　　　　　　　) 높대요. 정말이에요?

나 : 지난 여름에 갔다 왔는데, 실제론 후지산보다 꽤 낮아요.

(3) 한국의 놀부처럼 일본의 옛날이야기에 나오는 인물 중에 욕심이 많고 (　　　　　　　) 사람은 누가 있나요?

(4) 가 : 사춘기 때 누구한테 주로 (　　　　　　　)을 많이 냈어요?

나 : 엄마한테요. 반성하고 있어요.

08

ディクテーションの練習

① ____________________

② ____________________

③ ____________________

④ ____________________

文法

1. 반말 ためぐち

1-1.「한다」体：小説や新聞や報告書などの「書きことば」として多く使われる。

			肯定形	否定形
叙述	現在	動詞	動+는다/ㄴ다	動+지 않는다
			철수가 밥을 먹는다. / 영희가 집에 간다. 철수는 책을 읽지 않는다. / 영희는 학교에 가지 않는다.	
		形容詞	形+다	形+지 않다
			가방이 좀 작다. / 꽃이 아주 예쁘다. 가방이 그렇게 작지 않다. / 꽃이 별로 예쁘지 않다.	
		名詞	名+(이)다	名+이/가 아니다
			보라는 러시아 사람이다. / 크리스마스는 휴일이 아니다.	
	過去		動・形+었/았/였다	動・形+지 않았다
			디즈니랜드에 갔다. / 양념치킨을 먹고 싶었다. 연락을 하지 않았다. / 사이즈는 작지 않았다.	
	未来		動・形+을/ㄹ 것이다	動・形+지 않을 것이다
			디즈니랜드에 갈 것이다. / 양념치킨을 먹을 것이다. 연락을 하지 않을 것이다. / 사이즈는 작지 않을 것이다.	

練習問題2(文法)

1. 次の文を「한다」体に書きなおしてみよう。

名+(이)다

⑴ 금년 제 생일은 일요일입니다. ➜ 금년 내 생일은 일요일이다.

⑵ 오늘 갈 음식점 이름은 '놀부네' 입니다. ➜ ______

⑶ 제가 가고 싶은 여행지는 런던입니다. ➜ ______

⑷ 놀부는 욕심쟁이가 아닙니다. ➜ ______

動+는다/ㄴ다

⑸ 음악을 들으면서 운동합니다. ➜ 음악을 들으면서 운동한다.

⑹ 한달에 한번 집에서 한국 음식을 만듭니다. ➜ ______

⑺ 친구와 같이 좋아하는 음악을 듣습니다. ➜ ______

⑻ 그 사람을 사랑하지 않습니다. ➜ ______

形+다

⑼ 주말에는 한가합니다. ➜ 주말에는 한가하다.

⑽ 그 선생님은 목소리가 아주 큽니다. ➜ ______

⑾ 오늘은 날씨가 따뜻합니다. ➜ ______

⑿ 물건 값이 별로 비싸지 않습니다. ➜ ______

動・形+었다/았다/였다　　動・形+을/ㄹ 것이다

⒀ 공항까지 1시간 걸렸습니다. ➜ 공항까지 1시간 걸렸다.

⒁ 길이 막히지 않았습니다. ➜ ______

⒂ 아이돌 사인을 받아서 좋을 겁니다. ➜ ______

⒃ 내일은 비가 오지 않을 것입니다. ➜ ______

1-2. 日常会話のため口

解説 同年齢の仲良しの間、カジュアルな状況でよく使われる。

注意 自分より年齢や地位の高い人には使わない。また、フォーマルな状況でも使わない。

<table>
<tr><th colspan="3"></th><th>肯定形</th><th>否定形</th></tr>
<tr><td rowspan="8">叙述</td><td rowspan="4">現在</td><td rowspan="2">動・形</td><td>動・形+어/아/여</td><td>動・形+지 않아</td></tr>
<tr><td colspan="2">주말에 디즈니랜드에 가. / 타피오카 양이 너무 적어.
콩나물 국밥이 유명해. / 몸이 좋지 않아.</td></tr>
<tr><td rowspan="2">名詞</td><td>名+(이)야</td><td>名+이/가 아니야</td></tr>
<tr><td colspan="2">여기는 처음이야. / 크리스마스는 휴일이 아니야.</td></tr>
<tr><td colspan="2" rowspan="2">過去</td><td>動・形+었/았/였어</td><td>動・形+지 않았어</td></tr>
<tr><td colspan="2">지난 주에 디즈니랜드에 갔어./ 값이 너무 비쌌어.
그 노래를 좋아했어./ 몸이 좋지 않았어.</td></tr>
<tr><td colspan="2" rowspan="2">未来</td><td>動・形+을/ㄹ 거야</td><td>動・形+지 않을 거야</td></tr>
<tr><td colspan="2">운전 면허를 딸 거야. / 그 옷에는 이 모자가 잘 어울릴 거야. / 절대로 잊어버리지 않을 거야.</td></tr>
<tr><td colspan="3" rowspan="2">命令</td><td>動+어/아/여</td><td>動+지 마</td></tr>
<tr><td colspan="2">빨리 메일 좀 보내. / 전화해. / 방해하지 마.</td></tr>
<tr><td colspan="3" rowspan="2">勧誘</td><td>動+자</td><td>動+지 말자</td></tr>
<tr><td colspan="2">같이 여행 가자. / 오늘은 술은 마시러 가지 말자.</td></tr>
<tr><td rowspan="8">疑問</td><td rowspan="4">現在</td><td rowspan="2">動・形</td><td>動・形+냐[니]?</td><td>動・形+지 않냐[니]?</td></tr>
<tr><td colspan="2">뭐 하냐? / 집에 가냐? / 몸은 좀 괜찮니? / 춥지 않니?</td></tr>
<tr><td rowspan="2">名詞</td><td>名+(이)냐?</td><td>名+이/가 아니냐[니]?</td></tr>
<tr><td colspan="2">이름이 뭐냐? / 가족 사진이니? / 여기 백화점 아니니?</td></tr>
<tr><td colspan="2" rowspan="2">過去</td><td>動・形+었/았/였냐[니]?</td><td>動・形+지 않았냐[니]?</td></tr>
<tr><td colspan="2">뭐 먹었냐? / 어디 갔다 왔니? / 거기는 비 오지 않았니?</td></tr>
<tr><td colspan="2" rowspan="2">未来</td><td>動・形+을/ㄹ 거냐[니]?</td><td>動・形+지 않을 거냐[니]?</td></tr>
<tr><td colspan="2">뭐 먹을 거니? / 어디 갈 거냐? / 같이 가지 않을 거니?</td></tr>
</table>

練習問題3(文法)

疑問 動・形+냐?[니?]　名+(이)냐?　動・形+었/았/였냐[니]?
動・形+을/ㄹ 거냐[니]?

(1) 음악을 들으면서 공부합니까? ➜ 음악을 들으면서 공부하니?

(2) 몸살 감기는 좀 어떻습니까? ➜ ______

(3) 이것은 콩나물입니까? 숙주입니까? ➜ ______

(4) 혹시 보라 씨 아닙니까? ➜ ______

(5) 죽기 전에 먹고 싶은 음식이 무엇입니까? ➜ ______

(6) 삼계탕은 어떻게 만들었습니까? ➜ ______

(7) 유니버설 스튜디오에 같이 가지 않았습니까? ➜ ______

(8) 무슨 피자를 시킬 겁니까? ➜ ______

命令 動+어/아/여

(9) 안녕히 가십시오. ➜ 잘 가.

(10) 앉아서 말씀하십시오. ➜ ______

(11) 추우니까 창문을 닫으십시오. ➜ ______

(12) 건강검진을 받기 10시간 전부터 음식을 먹지 마십시오.

➜ ______

勧誘 動+자

(13) 내일 오후 3시쯤에 만납시다. ➜ 내일 오후 3시쯤에 만나자.

(14) 심심한데 영화나 봅시다. ➜ ______

(15) 점심은 간단하게 먹읍시다. ➜ ______

(16) 날씨가 좋으니까 산책합시다. ➜ ______

(17) 배가 부르니까 더 시키지 맙시다. ➜ ______

(18) 비가 올 것 같은데 나가지 맙시다. ➜ ______

2. 動・形＋더라(고요)　～だったよ

解説 話者が過去の経験を通じて新たに知った事実や気付いたことを臨場感を持って伝えるときに使う。

1) 形容詞に付くと過去の意味になる。

〈놀부네〉 냉면이 〈흥부네〉 냉면보다 맛있더라고요.

2) ほとんどの動詞や一部の形容詞の場合、一人称主語をとらない。

보라는 여전히 화를 잘 내더라.

리나 여동생이 정말 예쁘더라고요.

3) 感情形容詞は必ず話し手が一人称でなければならない。

(내가) 그 영화 정말 슬프더라.

나는 미국스타일보다 영국스타일이 좋더라.

練習問題4(文法)

1. 例のように自分の経験を通じて新たに知った事実や情報を他の人に伝えてみよう。また、日本語訳もしよう。

例 Bの経験した事実・情報	BさんがAさんに
달력을 보니까 올해 크리스마스가 금요일이었다.	달력을 보니까 이번 크리스마스가 금요일이더라.

(1) Bの経験・情報：리나의 여동생을 처음 만났는데 리나 여동생이 리나보다 키가 컸다.

A：리나 씨 여동생을 만났다고?

B：응, 리나 씨 여동생을 만났는데

日本語訳：

(2) Bの経験・情報：〈놀부네〉에 처음 가 봤는데 역에서 멀었다.

A：〈놀부네〉 갔다 왔지? 가까워?

B：응, 이번에 〈놀부네〉에 처음 갔다 왔는데 ＿＿＿＿＿＿＿＿＿＿

日本語訳：＿＿＿＿＿＿＿＿＿＿＿＿＿＿＿＿＿＿＿＿

(3) Bの経験・情報：보라 씨와 같이 전주에 가서 보라 씨가 사투리를 쓰는 것을 처음 봤다.

A：보라 씨하고 전주에 갔다 왔어?

B：응, 그런데 보라 씨가 전주에 가니까 ＿＿＿＿＿＿＿＿＿＿

日本語訳：＿＿＿＿＿＿＿＿＿＿＿＿＿＿＿＿＿＿＿＿

(4) Bの経験・情報：도서관에서 유토를 봤는데 유토가 리나에게 뭔가를 부탁했다.

A：너 유토 씨 봤어?

B：응, 아까 도서관에서 봤는데 유토 씨가 ＿＿＿＿＿＿＿＿＿＿

日本語訳：＿＿＿＿＿＿＿＿＿＿＿＿＿＿＿＿＿＿＿＿

(5) Bの経験・情報：새로 생긴 커피숍에 가 봤는데 커피가 아주 맛있었다.

A：역 앞에 커피숍이 새로 생겼다고 들었는데, 가 봤어?

B：응, 어제 가 봤는데 ＿＿＿＿＿＿＿＿＿＿＿＿＿＿＿＿

日本語訳：＿＿＿＿＿＿＿＿＿＿＿＿＿＿＿＿＿＿＿＿

活動：읽기× 말하기/쓰기

은아 : 미카! 너 요즘 바쁘더라! 나랑 같이 밥도 안 먹고.

미카 : 다음 주 월요일에 댄스 동아리 발표가 있잖아. 그래서 친구들과 같이 공연 연습하느라고 집에 늦게 들어가고 있어.

은아 : 참, 다음 주가 대학 축제지?

미카 : 응, 월요일부터 수요일까지야.

은아 : 재미있겠다. 몇 시에 공연하는데?

미카 : 월요일 낮 열두 시 공연이야. 또 늦지 마.

은아 : 알았어. 이번에는 꼭 제시간에 갈게. 근데 하루토는 이번 축제 때 뭐 할 거래?

미카 : 하루토가 아카펠라 동아리잖아. 거기서 발표회를 한대. 그래서 요즘 매일 동아리에서 노래 연습하더라. 화요일이 발표래.

은아 : 어쩐지 하루토한테서도 연락이 없더라.

미카 : 화요일에는 나도 하루토 공연 보러 갈 건데 같이 갈래?

은아 : 응, 좋아. 아무튼 미카 너도 발표날까지 감기 걸리지 않게 건강 조심해. 그건 그렇고 밥은 잘 먹고 다니지?

미카 : 아니. 요즘 너무 힘들고 긴장도 많이 돼서 밥맛이 없어. 실수할까 봐 잠도 안 와.

은아 : 아이구, 그러면 안 되지. 내일 내가 맛있는 거 사 줄게. 힘내!

동아리 サークル　축제 祭り　어쩐지 どうりで　공연 公演
아카펠라 アカペラ　긴장 緊張　밥맛이 없다 食欲がない　실수 ミス

1. 대학 축제기간이 아닌 날은 언제입니까?

① 월요일　② 화요일　③ 수요일　④ 목요일

2. 上記の会話の内容と一致するものは○、一致しないものは×をしよう。

① 은아는 미카가 같이 밥을 안 먹어서 뭐하는지 궁금했다. (　　)

② 은아는 자주 지각을 한다. (　　)

③ 미카는 하루토와 같은 날 공연을 한다. (　　)

④ 미카는 요즘 밥맛이 좋다. (　　)

活動：
쓰기×
말하기

대학 축제날 은아는 늦잠을 자느라고 월요일 낮 열두 시 미카의 공연을 보러 가지 못 했습니다. 은아가 사과하려고 미카에게 전화합니다.

은아는 어떤 말로 사과를 할까요? 또 미카는 어떻게 대답할까요? 친구와 함께 은아와 미카가 되어 〈보기〉에서 〈사과와 용서〉의 표현을 각각 골라서 롤플레이를 해 봅시다.

사과	용서
① 정말 미안해. 꼭 가고 싶었는데…	ⓐ 뭘, 그럴 수도 있지. 잊어버려.
② 사과하는 의미로 내가 오늘 밥 살게.	ⓑ 괜찮아. 신경 쓰지 마.
③ 미안해. 용서해 줘.	ⓒ 다 지나간 일이잖아. 어쩔 수 없지 뭐. 밥이나 사.
④ 화났지? 입이 열 개라도 할 말이 없어.	ⓓ 뭘 그런 걸 가지고…괜찮아.

〈은아가 미카에게 전화한다〉

은아 : 여보세요? 미카니?

미카 : 은아니? 너 오늘 왜 안 왔어? 무슨 일 있었어? 아무리 찾아도 없더라. 기다렸는데….

은아 : 아. 내가 사실은 말이야. 어제 숙제가 많아서 공부하느라 늦잠을 자고 말았어.

〈사과하는 말 하기〉

은아 : ________________

〈용서하는 말 하기〉

미카 : ________________

活動：듣기

09

1. 会話の内容と一致するものは○、一致しないものは×をしよう。
   ① 〈놀부네〉는 역에서 멀었지만 음식 맛은 좋았다. (　　)
   ② 보라는 화를 내면 귀엽다. (　　)
   ③ 보라는 사과할 때 더치페이를 하자고 한다. (　　)
   ④ 남자는 휴대폰 문자 확인을 잘 안 하는 편이다. (　　)

2. 보라의 성격으로 맞는 것은 무엇입니까?
   ① 신경질을 자주 낸다.
   ② 사과를 안 한다.
   ③ 잘 잊어버린다.

韓国語チャットルーム

慣用句(身体関連)　日本語の表現と比べてみよう！

귀(耳) : 귀에 못이 박히다	耳にたこができる
눈(目) : 눈이 높다	お目が高い
발(足) : 발이 넓다	顔が広い
발목(足首) : 발목을 잡다	足を引っ張る
손(手) : 손이 크다	気前がいい
입(口) : 입이 무겁다	口が堅い
얼굴(顔) : 얼굴이 두껍다	面の皮が厚い
코(鼻) : 내 코가 석자	自分のことで精一杯
눈코(目&鼻) : 눈코 뜰 새가 없다	目が回るほど忙しい
손발(手&足) : 손발이 맞다	息が合う

評価

✔ Self Check　☆☆☆☆☆

✔ Group Check　☆☆☆☆☆

講読資料1

한글, 세계의 위대한 문화 유산

현재 전 세계에서 사용하고 있는 언어는 몇 개 정도일까? 학자에 따라 기준이 다르기 때문에 정확한 수치를 이야기할 수는 없지만, 현재 세계에서는 약 5천~7천 개 정도의 언어가 사용되고 있다고 한다. 그렇다면 그 중에서 고유한 문자 체계를 가지고 있는 언어는 얼마나 될까? 그게 생각보다 적어서 약 200개 안팎이라고 한다. 단순히 계산하여 약 4% 정도에 불과한 것이다. 물론 한글이 그 안에 포함되는 것은 두말할 필요도 없을 것이다.

세계적으로 널리 알려진 문자로는 이집트의 상형문자나 중국의 한자, 그리고 유럽의 알파벳 등이 있다. 그런데 여기서 한번 곰곰이 생각해 보자. 이집트의 상형문자는 누가 만들었을까? 또 중국의 한자는 몇 년도에 만들어졌을까? 알파벳은 페니키아에서 만들어 쓰기 시작한 것이 유럽에 퍼져 나간 것이라고 하는데 그 창제 원리는 어떻게 되어 있을까?

대부분의 문자는 누가, 언제, 왜, 어떻게 그것을 만들었는지 알 수 없다. 하지만 한글만은 다르다. 한글이 세계적으로 유명한 이유 중 하나는 그 창제 원리의 과학성 때문이기도 하지만, 그뿐만 아니라 세계의 문자 가운데 유일하게 그것을 만든 사람과 시기, 그리고 그것을 만든 이유와 창제 원리까지 모두 다 알 수 있기 때문이다. 물론 한글 말고도 몇몇 문자들은 그것을 만든 사람을 특정할 수 있다거나 그것을 만든 시기를 어림잡아 추정하거나 그 창제 원리를 설명할 수 있기도 하다. 그렇지만 그 모든 것을 세세하게 기록으로 남겨 후세에 전달하고 있는 것은 한글이 유일하다. 1997년에 유네스코(UNESCO) 세계기록유산(Memory of the World)으로 등재된 『훈민정음(訓民正音)』이 바로 그 증거이다.

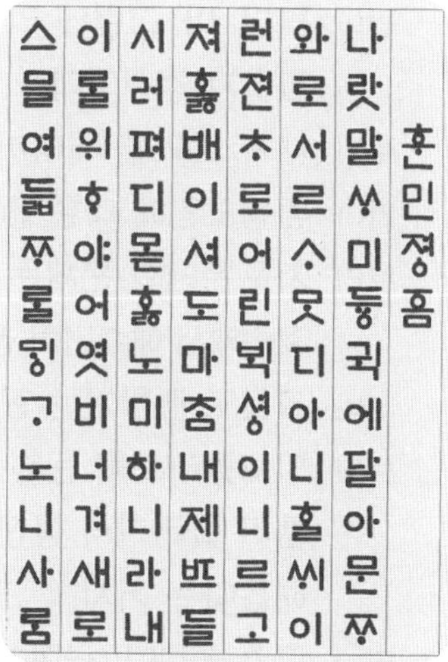
훈민졍음
나랏말ᄊᆞ미듕귁에달아문ᄍᆞᆼ
와로서르ᄉᆞᄆᆞᆺ디아니ᄒᆞᆯᄊᆡ이
런젼ᄎᆞ로어린ᄇᆡᆨ셩이니르고
져홇배이셔도ᄆᆞᄎᆞᆷ내제ᄠᅳ들
시러펴디몯ᄒᆞᇙ노미하니라내
이ᄅᆞᆯ윙ᄒᆞ야어엿비너겨새로
스믈여듧ᄍᆞᆼᄅᆞᆯᄆᆡᇰᄀᆞ노니사ᄅᆞᆷ

제3과

참치회를 못 먹게 될지도 몰라.

自分の興味のあるテーマで会話をしてみよう。

10

会話1 <놀부네>에서

리나 : 여기가 <놀부네>야. 어디에 앉을까?

점원 : 두 분이세요? 이쪽으로 앉으세요.

리나 : 제가 더위를 많이 타서요…. 에어컨 바람이 시원한 곳에 앉고 싶어요.

점원 : 그럼 저기 창가 구석 자리에 앉으세요.

보라 : 찬 바람을 너무 많이 쐬면 감기 걸리기 쉽다고 하니까 난 여기에 앉을래. 리나 너는 더위를 많이 타니까 건너편에 앉아.

점원 : 메뉴 정하시면 벨을 눌러 주세요.

보라 : 뭐 먹을까? 더우니까 펄펄 끓는 삼계탕 먹을까? 아니면 얼큰한 육개장?

리나 : 더운데 육개장이라고? 나는 시원한 물냉면 먹을래.

11

会話2 밥을 먹으면서

보라 : 역시 여름에는 이열치열이라고 뜨겁고 얼큰한 음식을 먹고 땀을 흘리니까 건강해지는 느낌이야.

리나 : 잘 먹기는 했는데 몸이 으슬으슬 추워지네. 찬 바람을 너무 많이 쐬었나?

보라 : 왜 그래? 나는 딱 좋기만 한데…. 여름에는 냉방병을 조심해야 돼.

리나 : 맞아. 아, 그런데 리포트를 모레까지 제출해야 되는데 제때 낼 수 있을지 걱정이다.

보라 : 내가 도와줄 테니까 걱정하지 마. 무슨 주제인데?

리나 : 환경오염에 대한 건데 내가 그런 데에 좀 관심이 없어서….

보라 : 지구온난화 문제는 어때? 이산화탄소량이 많아지면 지구온난화가 계속돼서 해수면이 상승한대. 그래서 북극곰들이 살 곳이 없어지고 있대.

리나 : 그것도 괜찮기는 한데, 곰 이야기말고 다른 건 없을까?

보라 : 미세플라스틱 문제는 어때? 인간이 버린 미세플라스틱이 바다로 흘러 들어가서 생선 몸에 쌓이고, 우리가 그걸 먹어서 인체에 해롭다는 거지.

리나 : 그거 좋겠다! 근데 해양오염이 심해지면 참치회를 못 먹게 되려나….

内容チェック

会話1と2の内容と一致するものは○、一致しないものは×をしよう。

❶ 보라 씨는 더위를 많이 탄다. (　　　)

❷ 리나 씨는 찬 바람을 많이 쐬어서 춥다. (　　　)

❸ 리나 씨는 환경 문제에 대해서는 별로 관심이 없다. (　　　)

❹ 리나 씨는 미세플라스틱 문제로 리포트를 제출할 것이다. (　　　)

単語

창가	名	窓際、窓辺	온난화	名	温暖化
구석	名	隅、片隅	이산화탄소	名	二酸化炭素
쐬다	動	(風、煙などに)当てる	해수면	名	海水面
정하다	動	決める、定める	상승	名	上昇
벨	名	ベル	북극곰	名	ホッキョクグマ
얼큰하다	形	ピリッと辛い	미세플라스틱	名	マイクロプラスチック
누르다	動	押す	흘러 들어가다	動	流れ込む
이열치열	名	以熱治熱	추워지다	動	寒くなる
으슬으슬	副	(寒気がする様子) ぞくぞく	인체	名	人体
에어컨	名	クーラー	쌓이다	動	溜まる、積もる
딱	副	ぴたりと、ちょうど	해롭다	形	害になる、有害だ
냉방병	名	冷房病	환경오염	名	環境汚染
제출하다	動	提出する	해양오염	名	海洋汚染
주제	名	主題、テーマ	참치회	名	マグロの刺身

表現

더위를 타다	暑がる	펄펄 끓다	ぐらぐらと沸き返る
감기에 걸리다	風邪をひく	땀을 흘리다	汗を流す
딱 좋다	ちょうど良い	名＋말고	名＋以外

練習問題1(語彙)

구석　정하다　으슬으슬　해롭다　얼큰하다　상승

⑴ 한국 사람들은 뜨겁고 (　　　　　) 국물을 마시면서 “야, 시원하다” 라고 하는데 재미있는 한국어 표현인 것 같아요.

⑵ 날씨도 좋은데 방(　　　　　)에만 있지 말고 바람 쐬러 나가자. 너무 집에만 있으면 몸에 (　　　　　).

⑶ 가 : 갑자기 (　　　　　) 추워지고 머리가 아파요.

나 : 어머, 열이 나잖아요! 큰일이네요. 요즘 독감이 유행이라는데….

⑷ 환율 (　　　　　)이 우리 나라 무역에 영향을 주겠지요?

⑸ 한국에서는 10월 9일을 한글날로 (　　　　　).

ディクテーションの練習

12

①

②

③

④

文法

1. 動・形+기는 하다

解説 ある物事について、とりあえずそれは認めるということを表す。日本語の「(~する) ことではある」という表現に当たる。

注意 動詞の場合は「-기는 하다」全体が動詞に、形容詞の場合は「-기는 하다」全体が形容詞になるため、接続されるものが動詞か形容詞かによって後ろの「하다」の活用形が変わる場合がある。

例 ⑴ 가 : 오늘 화장 어때? 예뻐?
나 : **예쁘긴 한데**, 눈썹이 좀 비뚤어진 것 같아. 다시 그리는 게 어때?
⑵ 가 : 이 집 마음에 드십니까?
나 : 마음에 **들긴 하는데요**. 임대료가 좀 비싸네요.

2. 動・形+기만 하다

解説 もっぱらその事態にだけ限られることを表す。

① 動詞 : その動作ばかりしていることを表す。
② 形容詞 : その状態や属性が非常に強いことを表す。

例 두 사람은 아무 말없이 **먹기만 했다**.
그렇게 **놀기만 하고** 시험 공부는 언제 하니?
말하기만 하고 듣지 않는 사람은 싫어요.
그 사람은 돈이 **많기만 하지** 남을 위해 쓸 줄은 몰라.

補足 ある物事の状態や属性に対する相手の意見に同意しないことを表すこともできる。

注意 上記の「-기는 하다」と同様に動詞か形容詞かによって後ろの「하다」の活用形が変わる場合がある。

例 ⑴ 가 : 이 참치회 별로 안 싱싱한 것 같아.
나 : **싱싱하기만 하구만**. 먹기 싫으면 나 줘.

⑵ 가：삼계탕이 다 식었네요.

나：그래요? 제 건 아직 뜨겁기만 한데요. 먹기 딱 좋아요.

⑶ 가：야, 그 영화 정말 재미없더라.

나：그래? 난 재미있기만 하던데….

3. 動・形＋을지/ㄹ지 걱정이다

解説 自分が望んでいることが本当に実現されるのかに対する心配を表す。日本語の「～かどうか心配だ」という表現に当てはまる。

例 ⑴ 가：7시에 손님이 오시는데 음식 준비는 다 되었어요?

나：아직요. 제시간에 음식 준비가 다 될지 걱정이에요.

⑵ 가：이사 준비 다 되었어요?

나：하나도 못 했어요. 이사를 할 수 있을지 걱정이에요.

4. 動＋자마자

解説 前の行為が起きてからすぐに次の行為が行われることを表す。日本語の「～するとすぐに」という表現に当てはまる。

例 ⑴ 가：비행기를 타자마자 뭐 하세요?

나：저는 비행기를 타자마자 모니터에서 재밌는 영화를 찾아요.

다：저는 비행기를 타자마자 안전수칙을 읽어요.

라：저는 비행기를 타자마자 입국신고서를 써요.

⑵ 가：놀이공원에 입장하자마자 뭐 하세요?

나：저는 입장하자마자 인기가 많은 놀이기구 쪽으로 뛰어 가요.

다：저는 입장하자마자 사진을 찍어요.

라：저는 입장하자마자 화장실에 가요.

⑶ 가：휴대폰을 켜자마자 뭐하세요?

나：저는 휴대폰을 켜자마자 시간을 확인해요.

다：저는 휴대폰을 켜자마자 날씨를 확인해요.

라：저는 휴대폰을 켜자마자 뉴스를 봐요.

練習問題2(文法)

1. 例のように文を完成させてみよう。

> 例 가 : 이 의자에 앉아 보시니까 어떠세요?
> 나 : (편하다, 디자인이 마음에 좀 안 들다)
> → 편하긴 **한데** 디자인이 마음에 좀 안 드네요.

(1) 가 : 오늘 날씨가 어때요?
나 : (날씨가 따뜻하다, 미세먼지가 심하다)
→ ______________________________

(2) 가 : 〈놀부네〉 음식이 어떠셨어요?
나 : 맛있다, 종업원이 불친절하다)
→ ______________________________

(3) 가 : 댄스 공연이 화려하고 박력이 있고 너무 멋있어요!
나 : (몸동작이 멋있다, 복잡해서 외우기 어렵다)
→ ______________________________

> 例 가 : 이 옷이 너무 안 어울리는 것 같아요.
> 나 : (잘 어울리다, 내일 데이트에 입고 가다)
> → 잘 어울리**기만 하는데요**. 내일 데이트에 입고 가세요.

(4) 가 : 육개장이 너무 싱거워서 무슨 맛인지 모르겠어요.
나 : (딱 좋다, 싱거우면 소금을 넣다)
→ ______________________________

(5) 가 : 스테이크가 너무 질겨서 못 먹겠어요.
나 : (연하다, 작게 잘라서 먹다)
→ ______________________________

(6) 가 : 방이 너무 덥지 않아요? 선풍기를 좀 켜세요.
나 : (시원하다, 그대로 두다)
→ ______________________________

2. 韓国語訳をしてみましょう。

⑴ キムチが辛いのは辛いけど、おいしいです。

韓国語訳： ______________________________

⑵ 一人暮らしが大変なのは大変だけど、気楽で良いです。

韓国語訳： ______________________________

⑶ 彼のことは知っているのだが、そこまで仲良くはないです。

韓国語訳： ______________________________

⑷ 韓国語の勉強が面白いのは面白いけど、やはり難しいですね。

韓国語訳： ______________________________

⑸ ご飯を食べるばかりいて、会話は全然しない。

韓国語訳： ______________________________

⑹ 家でテレビばかりみないで、外で友達と遊んだりもしなさい。

韓国語訳： ______________________________

⑺ 私は牛乳を飲むだけで、いつもお腹を壊します。

韓国語訳： ______________________________

⑻ 私は本を読もうと開くだけで、眠くなってしまいます。

韓国語訳： ______________________________

3. 例のように文を完成させてみよう。

> 例 가 : 내일이 마라톤 대회지요?(참가하다)
> 나 : 네, 다리를 삐어서 (참가할 수 있을)지 걱정이에요.

(1) 가 : 내일 대만에 갈 수 있을까요? (뜨다)

나 : 글쎄요 태풍이 와서 비행기가 ( )지 걱정이에요.

(2) 가 : 내일 X-ray 검사 결과가 나오죠? (결과가 어떻다)

나 : 네. ( )지 걱정이에요.

(3) 가 : 이번에 빵집 2호점을 여셨다면서요? (성공할 수 있다)

나 : 네. 주변에 빵집이 많아서 ( )지 걱정이에요.

4. 〈놀부네〉는 어디에 있어요? ( )

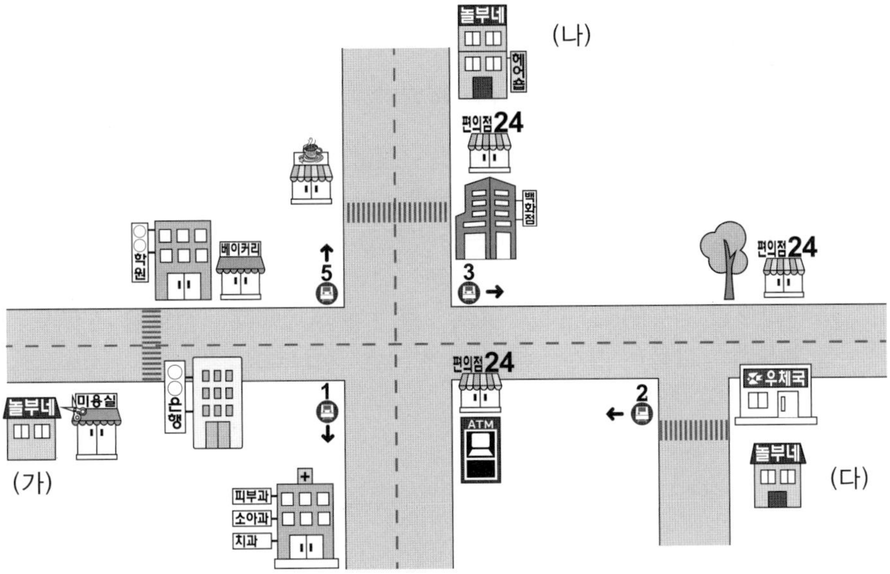

① 지하철 출구에서 나오자마자 쭉 직진해서 50미터쯤 가세요. 그러면 횡단보도가 나와요.

② 횡단보도를 건너자마자 왼쪽으로 꺾어지세요. 그리고 편의점을 지나자마자 바로 오른쪽에 미용실이 있어요.

③ 미용실이 있는 건물 2층으로 올라오시면 〈놀부네〉가 있어요.

活動：
읽기×
말하기/쓰기

한국의 일인당 수산물 소비량이 연간 60킬로그램을 육박해 노르웨이와 일본을 제치고 세계 주요 국가 가운데 최고 수준인 것으로 나타났다. 노르웨이 수산물위원회는 12일 서울 플라자호텔에서 기자 간담회를 열고 한국 소비자의 일인당 연간 수산물 섭취량이 58.4킬로그램이라고 밝혔다. 세계의 평균치는 20.2킬로그램이었으며, 노르웨이와 일본은 각각 53.3킬로그램과 50.2킬로그램이었다. 노르웨이 수산물 위원회는 '한국의 수산물 섭취량은 2030년까지 18퍼센트 늘어날 것'이라고 내다봤다.

한국이 자체적으로 공급하는 수산물과 해외에서 들여오는 수산물 역시 2013년부터 2018년까지 17퍼센트 늘어나는 등 꾸준한 증가세를 보였다. 한국 수산물 시장에서 노르웨이산의 점유율은 1.4퍼센트로 6만 2천 916톤으로 집계됐는데, 그 중에 고등어가 53퍼센트로 가장 많았고, 이어 연어 37퍼센트, 킹크랩 10퍼센트 등이 그 뒤를 따랐다.

☆☆☆☆☆☆☆☆☆☆☆☆☆☆☆☆☆☆☆☆☆☆☆☆☆☆☆☆☆☆

일인당 一人当たり　수산물 水産物　소비량 消費量　연간 年間
킬로그램 キログラム　육박하다 迫る　노르웨이 ノルウェー
제치다 追い抜く　위원회 委員会　퍼센트 パーセント　간담회 懇談会
밝히다 明らかにする　평균치 平均値　섭취량 摂取量　늘어나다 増える
자체적으로 自主的に　공급 供給　증가세 増加傾向　점유율 占有率
집계 集計　고등어 サバ　톤 トン　킹크랩 タラバガニ
뒤를 따르다 後を追う

1. 나라별 일인당 연간 수산물 소비량을 (　　) 안에 써 넣으세요.
① 한국(　　)kg　　② 노르웨이(　　)kg　　③ 일본(　　)kg

2. 다음 중 내용과 일치하는 것을 모두 고르세요. (　　　　　　)
① 노르웨이에서 한국에 가장 많이 수출하는 수산물은 참치다.
② 한국의 연간 수산물 소비량은 세계 최고 수준이다.
③ 한국 수산물 시장에서 노르웨이산 수산물의 점유율이 제일 높다.
④ 한국의 수산물 섭취량은 앞으로 더 늘어날 전망이다.

3-1. 다음은 일인당 연간 수산물 섭취량에 대한 막대그래프(棒グラフ)입니다.

(　　　)안을 채우세요.

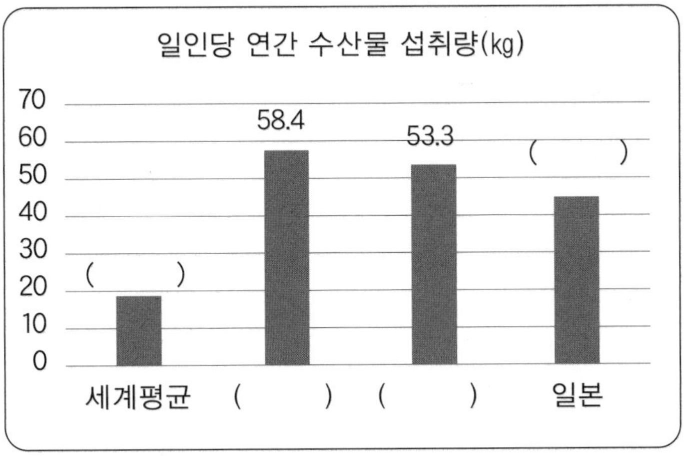

3-2. 한국의 노르웨이산 수산물의 종류에 대한 원그래프(円グラフ) 안을 채우세요.

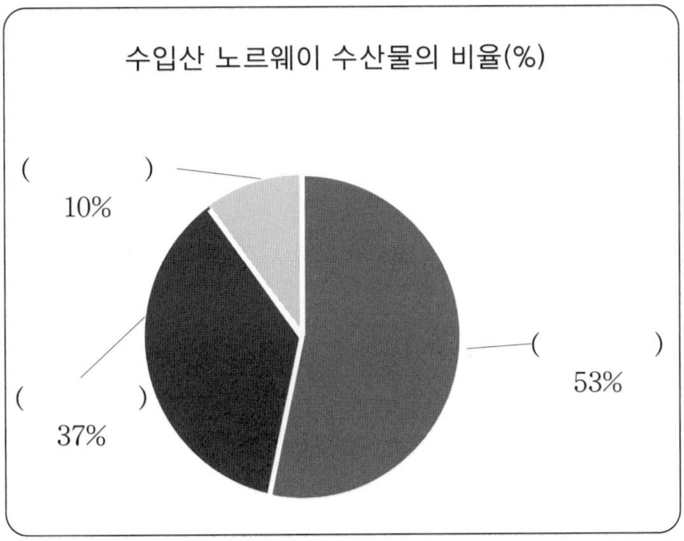

活動：쓰기×말하기

下記の例から一つのテーマを選び、チーム別に ⑴スクリプトを作成し、⑵グラフを使って、⑶パワーポイントで発表してみよう。

➲ 調査発表に必要な表現

表現	에 비해서　に比べると	와 비교하면　と比較すると
	～으로 나타났습니다 ～として現れました	는 것을 알 수 있습니다 ～ということがわかります。
	늘다　増える	줄다 減る
	증가하다　増加する	감소하다　減少する
	높아지다　高まる	낮아지다　低くなる
	상승하다　上昇する	하락하다　下落する
	올라가다　昇っていく	내려가다　下がっていく

テーマ　50年間の変化や変動について

例 ① 참치 소비량　② 여름 평균기온　③ 규동(牛丼) 가격의 변화 추이

スクリプト：

役割分担：

活動：듣기

13

1. 무엇에 관한 대화입니까?

① 냉방병의 원인　　② 여름철 건강법

③ 목욕하는 방법　　④ 강아지 산책법

2. 会話の内容と一致するものは○、一致しないものは×をしよう。

① 요즘 매일 35도 이상이다. (　　)

② 더울 때는 차가운 음식을 먹는 것이 좋다. (　　)

③ 그늘보다는 햇볕이 있는 곳에서 운동을 해야 한다. (　　)

④ 여름에는 차가운 물로 목욕하는 것이 좋다. (　　)

評価

✔ Self Check ☆☆☆☆☆

✔ Group Check ☆☆☆☆☆

제4과 어디 먼 곳으로 놀러 갔으면 좋겠다.

友達と一緒に旅行の計画を立ててみよう。

보라

리나

14

会話1 여행 가고 싶은 곳은?

보라 : 아, 어디 먼 곳으로 놀러 갔으면 좋겠다. 바람이라도 쐴 겸!

리나 : 맞아. 나도 요즘 기분 전환이라도 할 겸 어디 갔으면 좋겠다고 생각했어.

보라 : 그럼 우리 진짜 어디 같이 여행 갈래?

리나 : 좋아. 보라 너는 어디 가고 싶어?

보라 : 학기 중이니까 너무 멀리 가지는 않았으면 좋겠어.

리나 : 대만은 어때? 대만은 별로 멀지도 않고 음식도 아주 맛있대.

보라 : 그래? 그럼 우리 대만에 가자. 유토 씨한테도 같이 가자고 한번 얘기해 볼까?

보라

유토

15

会話2 여행 가자고 제안

보라 : 이번에 리나 씨랑 같이 대만에 갈 건데 어때요? 같이 갈래요?

유토 : 대만요? 저는 아직 한국말고는 외국에 가 본 적이 없는데….

보라 : 그럼 잘 됐네요. 같이 가요.

유토 : 흠… 근데 해외에 가려면 돈이 많이 들지 않나요? 사실은 제가 요즘 돈이 좀 없어서요.

보라 : 요즘은 저가 항공도 있고, 일찍 예매하면 비행기 표도 싸게 살 수 있을 거예요. 그리고 대만은 물가가 싸다고 하니까 여행 경비도 그렇게 많이 들지 않는대요.

유토 : 그래요? 그럼 저도 같이 갈까요?

보라 : 그럼 항공권은 제가 싼 걸로 한번 찾아볼 테니까 유토 씨는 숙박 시설을 알아봐 주세요.

유토 : 네, 알겠어요. 일단 제가 호텔을 알아보고 다시 연락할게요.

보라 : 리나 씨는 중국요리에 대해서도 잘 아는 것 같으니까 리나 씨한테는 맛집을 좀 알아보라고 해야겠어요.

内容チェック

会話1と2の内容と一致するものは○、一致しないものは×をしよう。

❶ 대만은 일본에서 그렇게 멀지 않은 곳에 있다. (　　)

❷ 대만 여행을 처음에 유토 씨가 제안했다. (　　)

❸ 요즘에는 해외 여행을 싸게 갈 수 있는 방법들이 있다. (　　)

❹ 대만에서 갈 음식점은 리나 씨가 보라 씨한테 부탁할 것이다. (　　)

単語

기분 전환	名	気分転換	물가	名	物価
저가 항공	名	低価格航空、LCC	맛집	名	美味しいと有名な店
숙박 시설	名	宿泊施設	경비	名	経費
예매하다	動	(チケットを)予約する	예약하다	動	(店を)予約する

表現

바람을 쐬다	風を身に受ける、風に当たる、気晴らしする
돈이 들다	お金がかかる

練習問題1(語彙)

바람　　훨씬　　맛집　　경비　　물가　　저가 항공

(1) 가 : 오사카까지 신칸센으로 가면 (　　　　)는 얼마나 들어요?

나 : 저도 잘은 모르겠는데, 아마 왕복으로 3만 엔 정도 들 거예요.

(2) 요즘 장바구니 (　　　　)가 많이 올라 걱정이다.

(3) 가 : 우리 회사 근처에 잡지에 나온 (　　　　)이 있는데 점심에 같이 갈래?

나 : 응, 좋아. 얼마나 맛있는지 한번 가 보고 싶다.

(4) 가까운 나라에 갈 때는 (　　　　)을 이용하는 여행자들이 많다.

ディクテーションの練習

16

①

②

③

④

文法

1. 動・形+었으면/았으면/였으면 좋겠다

解説 これからのことに対する強い願望、自分の望みを表す。

注意 過去形が使われることで今までそうでなかったことが強調され、「動・形+으면/면 좋겠다」より切実さが感じ取れる。

例 이번 주말에는 길이 안 막혔으면 좋겠는데….

올 크리스마스에는 눈이 왔으면 좋겠다.

이 가게에서 아르바이트를 했으면 좋겠는데 자리가 있나요?

다음부터는 너무 늦지 않았으면 좋겠어요.

関連表現 動・形+고 싶다

①「ー고 싶다」とあまり大きい意味の差はなく、入れ替えても構わない。

・좀 따뜻한 음식을 먹(고 싶어요○/었으면 좋겠어요○).

② ただ、「ー었으면/았으면/였으면 좋겠다」は主語制約がないが、「ー고 싶다」は無生物や3人称の主語と結合すると、やや不自然な場合が多い。

・내일은 날씨가 좋(았으면 좋겠어요○/고 싶어요×).

・(네가) 대신에 청소를 해 주(었으면 좋겠어○/고 싶어×).

・아버지가 빨리 돌아오(셨으면 좋겠어요○/고 싶어요×).

2. 名 겸 名

動＋을/ㄹ 겸

解説 2つ以上の目的が共に達成されることや、同時に二つの資格を持っていることを表す。日本語の「～を兼ねて、～がてら」に当てはまる。

例 아침 **겸** 점심으로 간단히 샌드위치나 먹자.

그 사람은 아직 선수 **겸** 코치로 활동하고 있대.

오늘부터 세일이라고 하니까 **구경도 할 겸** 백화점에 갑시다.

영어 공부도 **할 겸** 휴가도 **즐길 겸** 호주에 갈 생각이에요.

練習問題2(文法)

1. 次の状況に合わせて、自分の望みや願い事を言ってみよう。

1. 状況 내일은 기다리고 기다리던 소풍날. 비가 오면 안 되는데….
➜
2. 状況 친구하고 말다툼을 해서 사이가 나빠졌다. 하지만….
➜
3. 状況 이번 겨울에 친구들이랑 서울에 갈 건데 너무 추우면 어떡하지?
➜
4. 状況 좋아하는 그룹의 해체설이 돌고 있어서 너무 슬프다.
➜
5. 状況 우리 회사는 야근하는 날이 너무 많다. 야근은 정말 싫은데….
➜
6. 状況 오늘부터 시험인데 공부를 많이 하지 않아서 걱정이다.
➜

2.「-을/ㄹ 겸」を使い、会話を完成させてみよう。

⑴ 가 : 한국에 갔다 왔다고 들었는데….

나 : 응, 오랜만에 한국 친구들도 ____________________

⑵ 가 : ____________________학교에서 배운 한국어를 어머니한테 가르쳐 드리

고 있어요.

나 : 그래요? 어때요? 효과가 좀 있어요?

⑶ 가 : 어디 가세요? 이렇게 이른 시간에?

나 : ____________________ 공원에 가서 산책 좀 하려고요.

⑷ 가 : ____________________어디 좀 들어갈까?

나 : 그래. 저기에 커피숍이 있는데 저기 갈까?

⑸ 가 : 두 분이 이렇게 멋지게 차려입고 어디 갔다 오시는 거예요?

나 : 오랜만에 ____________________같이 영화 보고 오는 길이에요.

3.

動・形＋을/ㄹ 테니까[텐데] ～
動・形＋었을/았을/였을 테니까[텐데] ～

解説 後ろの命令や依頼、質問、陳述などに対する前提になる理由や背景知識を表す。ただ、その理由や背景知識というのは、

①1人称主語の場合は話し手の意志や予定を表し、

②2・3人称主語の場合はその物事についての話し手の推測による判断を表す。

例 이건 내가 이따가 **먹을 테니까** 아무도 손대지 마.

설거지는 나중에 내가 **할 테니까** 그냥 둬.

오후에는 비가 **올 텐데** 우산은 안 가지고 가니?

바쁘실 텐데 이렇게 연락해 주셔서 감사합니다.

練習問題3(文法)

1. 例のように2つの文を繋ぎ、日本語訳をしてみよう。

例 화장실 청소는 제가 하겠습니다. 그러니까 미키 씨는 방 청소를 하세요.

➜ 화장실 청소는 제가 할 테니까 미키 씨는 방 청소를 하세요.

日本語訳：トイレ掃除は私がするつもりだから、ミキさんは部屋の掃除をしてください。

⑴ 저는 담배를 끊겠습니다. 그러니까 당신은 술을 끊으세요.

➜ ______________________________

日本語訳：______________________________

⑵ 퇴근 시간에는 비가 올 거예요. 그러니까 우산을 가지고 가세요.

➜ ______________________________

日本語訳：______________________________

⑶ 오늘은 당신이 좋아하는 음식을 만들 거예요. 그런데 집에 빨리 돌아올 수 있어요?

➜ ______________________________

日本語訳：______________________________

⑷ 리나 씨가 이미 집에 도착했을 거예요. 그런데 연락이 없네요.

➜ ______________________________

日本語訳：______________________________

⑸ 여기는 제가 하겠습니다. 그러니까 유토 씨는 저기를 해 주세요.

➜ ______________________________

日本語訳：______________________________

2. (a)と(b)を繋いで(c)の欄に「－을/ㄹ 텐데[테니까]」を使った文を書いてみよう。

	(a)	(b)
1.	아르바이트도 끝났다 ·	· 돈 좀 보내 주세요.
2.	이런저런 일로 많이 바쁘시다 ·	· 곧 오겠지.
3.	별일 없다 ·	· 너무 걱정하지 마.
4.	아껴서 쓰다 ·	· 괜찮겠어?
5.	이번에는 상대가 만만치 않다 ·	· 초대해 주셔서 감사합니다.
6.	이 옷이 더 잘 어울리다 ·	· 왜 다른 걸 사려고 하니?

(c)

1. ______________________________

2. ______________________________

3. ______________________________

4. ______________________________

5. ______________________________

6. ______________________________

活動：듣기×말하기

17

次の会話を聴いて、質問に答えよう。

1. 何についての会話ですか? (　　)

① 전공　　② 특기　　③ 취미　　④ 성격

2. 時間のある時、理奈がしないことは何ですか? (　　)

① 독서

② 영화 감상

③ 음악 감상

④ 산책

3. 会話の内容と一致するものは○、一致しないものは×をしよう。

① 보라는 한국에 있을 때 취미로 요리를 배웠다. (　　)

② 보라는 일본에 와서 테니스를 배우기 시작했다. (　　)

③ 보라는 리나한테서 테니스 라켓을 빌릴 것이다. (　　)

④ 테니스 코트 예약은 리나가 할 것이다. (　　)

4. 여러분은 평소에 시간에 여유가 있으면 무엇을 주로 합니까? 또 앞으로 하고 싶은 취미 활동은 무엇입니까? 친구와 같이 이야기해 봅시다.

活動：
읽기×
말하기

1. 例のように友達と話し合って旅行の計画を立ててみよう。

보라 : 이번 여름방학에 뭐 해? 우리 같이 여행 가자.

리나 : 좋아. 어디로 갈까?

보라 : 난 아직 오키나와에 가 본 적이 없어서 오키나와에 가고 싶은데 어때?

리나 : 응, 좋아. 난 오키나와에 여러 번 가 봤지만 언제든지 또 가고 싶어. 오키나와는 정말 좋더라고.

보라 : 그래? 기대된다! 그런데 오키나와까지는 어떻게 가? 비행기로 가면 돼?

리나 : 응. 비행기도 있고 배도 있어. 지금까지 비행기로만 가 봐서 이번에는 배를 타 보고 싶은데 어때?

보라 : 미안. 난 배멀미가 심해서 배는 타고 싶지 않아.

리나 : 그래? 그럼 할 수 없지 뭐. 비행기 타고 가자.

보라 : 잠은? 호텔에서 자?

리나 : 오키나와에는 게스트하우스하는 집도 많이 있으니까 게스트하우스는 어때? 게스트하우스에 묵는 것도 재미있을 거 같은데.

보라 : 그래? 그것도 좋겠다. ……

	A : 내 의견	B : 친구 의견	C : 결정
언제?			
어디?			
어떻게?			
숙박			
활동			

2. 話し合って決めたことを下記の例のように発表してみよう。

저희는 이번 여름 방학에 같이 오키나와에 가기로 했습니다. 저는 예전에 비행기로 오키나와에 간 적이 있어서 이번에는 배를 타고 가고 싶었습니다만, 보라 씨가 배멀미를 심하게 한다고 해서 비행기로 가기로 했습니다. 오키나와에서는 게스트하우스에서 묵을 예정입니다. 보라 씨는 호텔에서 묵자고 했는데 제 경험상 오키나와는 게스트하우스가 더 재미있을 같아서 거기서 묵기로 했습니다. 오키나와에서는 맛있는 음식도 많이 먹고 해수욕장에서 마음껏 물놀이를 할 생각입니다.

MEMO

評価

✔ Self Check ☆☆☆☆☆

✔ Group Check ☆☆☆☆☆

제5과 볼수록 예쁜 옷들이 많아서 뭘 사야 할지 모르겠어.

友達と買い物に出かけてみよう。

会話1 　쇼핑몰에서

18

보라 : 어, 여기 세일하네! 우리 여기 한번 들어가 보자.

리나 : 응, 좋아. 우와, 저기 저 줄무늬 블라우스 진짜 예쁘다. 어때? 두 개 사면 추가 할인도 해 준다는데. 보라 너도 색만 다른 걸로 해서 같이 살래?

보라 : 응, 좋아. 근데 난 이 하늘색 원피스도 마음에 드는데.

리나 : 그래? 그럼 그걸로 할까? 아, 잘 모르겠다. 보면 볼수록 예쁜 옷들이 너무 많아서 뭘 사야 할지 모르겠어.

보라 : 딱히 이거다 싶은 게 없으면 다른 가게에도 가 보자.

리나 : 그래, 그러자. 일단 다른 곳도 둘러보고 오자.

보라 : 근데 리나야, 너 목 마르지 않니? 어디 가서 커피라도 마시자.

리나 : 역 부근에 커피숍이 있던데 좀 쉴 겸 우리 거기 갈까?

보라 : 그게 좋겠다. 거기 가서 잠깐 쉬자.

会話2 　쇼핑몰을 나와서

19

리나 : 저기 새로 생긴 커피숍이 있네. 저기로 갈까?

보라 : 응, 좋아. 저기로 가자.

리나 : 아, 참! 근데 보라 너 미용실도 가고 싶다고 하지 않았니?

보라 : 응, 맞아. 일본에 와서 머리 손질한 적이 아직 한번도 없어서 이번 기회에 가고 싶어.

리나 : 그래? 아직 괜찮아 보이는데. 아무튼 그럼 내가 자주 가는 단골 미용실이 있는데, 소개해 줄까?

보라 : 정말? 그렇게 해 주면 나야 좋지. 근데 미리 예약해야 하지 않나?

리나 : 보통은 그런데, 내가 잘 아는 곳이니까 괜찮을 거야. 잠깐만! 내가 전화해서 한번 물어볼게. 근데 이번에 머리는 어떻게 하려고?

보라 : 염색 좀 하려고. 무슨 색이 좋을까?

内容チェック

会話1と2の内容と一致するものは○、一致しないものは×をしよう。

❶ 두 사람은 줄무늬 블라우스와 하늘색 원피스를 샀다. (　　)

❷ 리나 씨가 자주 가는 미용실은 예약할 필요가 없다. (　　)

❸ 두 사람은 단골 커피숍에 갈 것이다. (　　)

❹ 보라 씨는 아직 일본에서 미용실에 간 적이 없다. (　　)

単語

세일하다	動	セールする	줄무늬	名	縞模様、ストライプ
추가 할인	名	追加割引	하늘색	名	水色
둘러보다	動	見回る	부근	名	付近
머리 손질	名	ヘアスタイルの手入れ	단골	名	行き付け、お得意先
물어보다	動	尋ねてみる	염색	名	染色、染め

表現

마음에 들다	気に入る	목이 마르다	喉が渇く
딱히~(否定)	特に~(否定)	名+밖에(否定)	名+しか(否定)

練習問題1(語彙)

마음　　할인　　단골　　손질　　딱히　　마르다

(1) 가 : 이게 왜 이렇게 싸요? 지난 번에 살 때는 이렇게 싸지 않았는데.

나 : 아, 이번에만 특별히 (　　　) 행사를 하고 있는 거예요.

(2) 제가 (　　　)로 자주 가는 술집이 있는데 같이 가실래요?

(3) 가 : 어디 가고 싶은 곳이 없으세요?

나 : 흠... 지금은 (　　　) 없는데요.

(4) 목이 (　　　)데 마실 것 좀 없나요?

ディクテーションの練習

20

①

②

③

④

文法

1. 動・形＋으면/면　　動・形＋을수록/ㄹ수록

解説 同じ動詞を二回繰り返すことで、行為を何回も反復していることを表したり、その程度が段々激しくなることを表したりする。

注意 前の動・形＋으면/면は省略したりもする。名＋하다の場合は、反復するとき後ろでは名詞を省略しても良い。

例 한국어는 **배우면 배울수록** 재미있어지는 것 같아요.

그 배우는 **보면 볼수록** 멋있단 말이야!

요리 솜씨는 많이 **만들면 만들수록** 느는 것 같아요.

생각하면 (생각)할수록 화가 나네.

친구는 **많으면 많을수록** 좋을 것 같지만 꼭 그런 것만도 아니야.

시간이 **가면 갈수록** 그리워지는 게 첫사랑의 추억인 것 같아.

2. 形＋어/아/여 보이다

解説 人やモノの見た目から判断されることを表す。日本語の「～そうに見える」に当たる。

例 이 물건이 품질이 아주 **좋아 보이는데요**.

두 사람은 겉으로는 **친해 보이는데** 사실은 그렇지 않나 봐.

많이 **피곤해 보이시는데** 괜찮으세요?

練習問題2(文法)

1. 次の日本語を韓国語に訳してみよう。

⑴ この教科書で勉強すればするほど、韓国語がすぐ上手になりますよ。

➜ ____________________

⑵ 時間が経てば経つほど、記憶は薄れていく。

➜ ____________________

⑶ 考えれば考えるほど、分からなくなるのが人間の心理というものだ。

➜ ____________________

⑷ お酒は飲めば飲むほど強くなるとよく言われるが、実際は嘘だそうだ。

➜ ____________________

⑸ 今回の課題の提出は、早ければ早いほどいいですよ。

➜ ____________________

⑹ 家から学校まで近ければ近いほど遅刻してしまう理由は何でしょう。

➜ ____________________

2. 状況に合うような会話を完成させてみよう。

⑴ **状況** やつれている顔を見ながら心配そうに。

가 : ____________ 보이네요. 괜찮아요?

나 : 네, 요즘 일이 많아서 조금 피곤하기는 하지만 괜찮아요. 고마워요.

⑵ **状況** 新しい服を着て来た友達が嬉しそうに話をかけて来た。

가 : 옷 샀어? 잘 어울린다. 근데 좀 ____________ 보이는데 얼마에 샀어?

나 : 아니야, 그렇게 안 비싸. 어제 백화점에서 세일해서 산 거거든.

⑶ **状況** 60代の男性が白髪を黒く染めて来た。

가 : 머리 검게 염색하셨군요! 훨씬 ____________ 보이시네요.

나 : 머리가 하야니까 사람들이 다 ____________ 보인다고 해서요.

⑷ **状況** 友達が難しそうな本を読んでいるのを見て

가 : 야, 그거 무슨 책이야? ____________ 보인다.

나 : 칸트라는 독일 철학자의 책인데 읽어 보니까 어렵긴 해.

3.

動+는지 ~

形+은지/ㄴ지 ~

動・形+었는지/았는지/였는지 ~

動・形+을지/ㄹ지 ~

解説 文中疑問形。文の途中に来て、さらに後ろに文が続く疑問形。用言の連体形に「-지」が付いた形で使われる。

注意 質問する内容によって、連体形の形が変わる。

例 한국어도 할 수 **있는지** 한번 물어봐.

언제 시간이 **날지** 잘 모르겠는데.

넌 어느 게 더 **좋은지** 얘기해 줄래?

지민이가 어제 감기에 걸렸다고 하던데 **괜찮은지** 궁금하네.

아이들이 모두 집에 잘 **들어갔는지** 걱정이 돼서 전화를 돌렸다.

4.

動+나 보다

形+은가/ㄴ가 보다

動・形+었나/았나/였나 보다

解説 ある物事を見て、それの状態を推測するときに使われる。推測の内容が一般常識や自分が思っていたことと異なるときに使うという面から、「~을/ㄹ 것 같다」や「~는 모양이다」と差がある。

注意 話し言葉では、動詞や過去形の場合でも「-은가/ㄴ가 보다」を用いたり、形容詞の場合でも「-나 보다」を用いたりする。

例 철수가 연습하는 모습을 보니까 탁구도 잘 **치나 보네**.

사람들 땀 나는 것 봐. 이 집 음식이 꽤 **매운가 봐**.

지난번에 비가 많이 오기는 **했나 봐**. 여기까지 물 자국이 있네.

벌써 시합이 다 **끝났나 봐요**.

練習問題3(文法)

1. 例のように2つの文を繋ぎ、日本語訳をしてみよう。

> 例 학교 수업은 몇 시에 끝나요? 미나 씨한테 한번 물어보세요.
>
> ➜ 학교 수업은 몇 시에 끝나는지 미나 씨한테 한번 물어보세요.
>
> **日本語訳**：学校の授業は何時に終わるかミナさんに一度聞いてみてください。

(1) 오늘 어디에서 만나요? 좀 가르쳐 주세요.

➜ ____________________

日本語訳：____________________

(2) 어떤 게 더 좋아요? 그 친구한테 말했어요?

➜ ____________________

日本語訳：____________________

(3) 숙제는 다 했니? 어머니가 물어보셨어요.

➜ ____________________

日本語訳：____________________

(4) 집에는 언제 돌아갈 거예요? 친구가 물어봤어요.

➜ ____________________

日本語訳：____________________

(5) 동생이 어디에 갔니? 저도 잘 모르겠어요.

➜ ____________________

日本語訳：____________________

2. (a)の日記を読み、それに合わせて(b)に「-는지, -은지/ㄴ지」を使った会話を完成させてみよう。

(a)

그제 친한 친구랑 싸웠다. 안색이 안 좋아서 어디 아프냐고 물어봤는데 너무 성의 없게 대답을 했다. 서운했다. 그래서 나도 화를 내고 친구도 화를 냈다. 내 의도는 그런 게 아니었는데…. 어제도 오늘도 그 친구한테서 아무런 연락이 없다. 평소에는 자주 카톡으로 연락하는 사이인데, 왠지 마음이 쓸쓸하다. 그저께 만났을 때 숙제도 많고 아르바이트도 많아서 너무 힘들다고 했는데…. 잘 지내고 있을까?

(b)

가 : 너 태린이랑 싸웠다며?

나 : 응, 태린이가 안색이 안 좋아 보여서 (① 괜찮다)______ 물어봤거든.

가 : 응, 그런데?

나 : 그런데 태린이가 너무 귀찮은 듯이 대답하잖아.
난 (② 어디 많이 아프다)______ 걱정이 돼서 물어본 건데….

가 : 그렇구나. 태린이가 요즘 숙제랑 아르바이트 때문에 엄청 바빴대. 나도 어제 병원에서 만나서 잠깐 이야기했는데 그냥 계속 피곤하다고만 하더라.

나 : 그래? 그런데 병원에서 만났다고? 왜? 어디가 많이 아프대?

가 : 나도 잘 모르겠어. (③ 왜 병원에 왔다)______ 궁금하면 네가 먼저 연락해 봐. 너희 맨날 카톡으로 연락 주고 받던 사이잖아.

① ____________________

② ____________________

③ ____________________

3. 自分が思っていたことと違う状況について「-나 보다, -은가/ㄴ가 보다」を用いた推測表現を作ってみよう。

(1) 지금 밖에 비가 오지 않는다고 생각했는데, 창밖을 보니까 모두 우산을 쓰고 있네요.

➜ 지금 밖에 ______________. 어떡하지? 우산 안 가지고 왔는데.

(2) 한국의 여름은 별로 덥지 않을 것이라고 생각했는데, 사람들의 옷차림을 보니까 그렇지 않은 것 같아요.

➜ 한국도 여름에는 ______________.

(3) 그 정도 말로는 화를 내지 않을 것이라고 생각했는데, 쟤 얼굴 좀 봐. 볼까지 빨개지고….

➜ 쟤 정말 ______________.

(4) 과장님은 좀 한가실 것이라고 생각했는데, 저기 책상에 쌓인 서류 좀 봐요.

➜ 과장님이 진짜 ______________.

(5) 이번 시험은 쉬울 것이라고 생각했는데, 다들 너무 힘들어하는 표정을 하고 있네요.

➜ 이번 시험이 생각보다 ______________.

活動：듣기×말하기

21

1. 이 사람은 지금 어디에 와 있습니까?

   ① 옷가게　② 미용실　③ 이발소　④ 편의점　⑤ 커피숍

2. 이 사람은 왜 바로 머리를 하지 않고 기다려야 했습니까?

   ____

3. 会話の内容と一致するものは○、一致しないものは×をしよう。

   ① 이 가게에서는 디자이너에 따라 요금을 달리 받는다. (　　　)

   ② 오늘 이 가게는 많이 붐빈다. (　　　)

   ③ 이 사람은 이번에 이 가게에 처음 왔다. (　　　)

   ④ 오늘은 이 가게의 원장이 없는 날이다. (　　　)

4. 옆자리 친구하고 역할을 나눠 미용실에서 이루어지는 손님과 헤어디자이너의 대화를 만들어 봅시다. 자기가 원하는 헤어스타일을 한국어로 이야기할 수 있겠습니까?

評価

✔ Self Check　☆☆☆☆☆

✔ Group Check　☆☆☆☆☆

講読資料2

한국 음식의 매운 맛

한국 음식이라고 하면 대부분 맵고 자극적인 맛을 떠올리기 쉽다. 그 중에서도 한국 음식을 대표하는 것은 단연 고추의 매운 맛이다. 일본 음식에도 매운 와사비나 겨자를 곁들이기도 하지만 한국 음식에 사용하는 고추의 매운 맛과는 그 종류가 좀 다르다. 그런데 고추의 원산지가 남미의 안데스 산맥이라는 것을 생각해 보면, 한국 음식이 원래부터 지금처럼 그렇게 매웠던 것은 아닐 것이다.

고추가 한국에 처음 전래된 것은 16세기 말 무렵이라고 한다. 원래 안데스 산지에서 재배되던 고추는 남미를 침략한 스페인과 포르투갈 사람들을 통해 유럽에 전해진다. 그 후 유럽과 중국, 일본의 무역을 통해 아시아에 전달된 고추가 다시 한국에까지 건너오게 된 것이다.

고추가 들어오기 전까지 한국에서는 고기 요리에 주로 향신료로 후추를 사용했다고 한다. 하지만 후추는 한국의 토양과 기후에 잘 맞지 않기 때문에 모두 수입에 의존할 수밖에 없어 값이 매우 비싼 고급품이었다. 하지만 새로 들어온 고추는 한국에서도 잘 자라고, 한국인들의 입맛에도 잘 맞아 여러 요리에 널리 쓰이게 되었던 것이다.

일본은 한국보다 먼저 고추가 전래되었음에도 불구하고 한국과 같이 널리 쓰이지는 않았다. 그것은 아마도 일본에서는 오랫동안 육식을 금지해 왔던 것과 관련이 있을 것이다. 7세기 쇼토쿠 태자(聖徳太子)가 불교를 국교로 삼은 이후 메이지유신(明治維新) 때까지 일본에서는 공식적으로는 고기를 먹는 것을 금지했다고 한다. 또 섬나라인 일본에서는 고기보다는 생선의 수요가 많기도 했다. 그러다 보니 고기의 누린내 등을 없애기 위한 향신료의 수요는 그리 많지 않았고, 고추 역시 널리 쓰이지 않았던 것이다.

한편, 한국 역시 고려 시대에는 불교를 국교로 삼기는 했지만 거란과 여진, 몽골 등 북부 유목민들의 침략으로 인해 그들의 육식 문화가 고스란히 전해졌다. 또 조선 시대에는 아예 유교가 국교였기 때문에 육식을 금지하는 불교적 전통은 일부 계층에게만 남았을 뿐 민간에서는 널리 퍼지지 않았다고 한다.

제6과 흥부와 놀부

韓国の昔話を読んで、演じてみよう。

22

배경 : 옛날

등장인물 : 내레이터, 놀부, 놀부 부인, 흥부, 흥부 가족(부인), 제비, 도깨비, 목수, 도둑

Set1

옛날에 욕심쟁이 형 놀부와 착한 동생 흥부가 살았어요. 부모님이 돌아가시자 놀부는 부모님한테서 물려받은 재산을 모두 가지고 동생 흥부를 내쫓았어요.

초가집으로 쫓겨난 흥부 가족은 늘 가난하고 배가 고팠어요. 너무 배가 고픈 흥부는 보리쌀이라도 빌릴 수 있을까 하는 마음으로 놀부네 집을 찾아갔어요.

흥부 : **형님 보리쌀 조금만 빌려 주세요.**

놀부 : **우리도 먹을 게 없다. 당장 나가라.**

놀부 부인 : **흥! 우리도 먹을 게 없는데 보리쌀은 무슨 보리쌀이에요?**
보리쌀 대신 밥주걱이나 받으세요! (철썩)

놀부 부인은 밥주걱으로 흥부의 뺨을 때렸어요. 흥부는 뺨에 묻은 밥풀을 떼어먹으면서 터덜터덜 집으로 돌아왔어요.

単語Set1

배경	名	背景	내쫓다	動	追い出す
옛날	名	昔々	쫓겨나다	動	追い出される
등장 인물	名	登場人物	늘	動	常々
내레이터	名	ナレーター	가난하다	動	貧乏だ
흥부	名	놀부の弟	찾아가다	動	訪ねて行く
부인	名	婦人	보리	名	麦
제비	名	ツバメ	주걱	名	杓子
도깨비	名	鬼	뺨	名	ほっぺ

목수	名	大工	묻다	動	(粉・のりなどが くっつく
욕심쟁이	名	欲張り	밥풀	名	飯粒
물려받다	動	引き継ぐ	떼어먹다	動	もぎ取って食べる
재산	名	財産	터덜터덜	副	とぼとぼ

Set2

23

어느 봄날 커다란 구렁이 한 마리가 제비들을 잡아먹으려고 흥부네 처마에 있는 제비집을 공격했어요. 이를 본 흥부가 막대기로 구렁이를 내쫓았어요.

흥부 : **에이! 이 나쁜 구렁이! 저리 가!**

그런데 그때 새끼 제비 한 마리가 땅으로 떨어져 다리가 부러지고 말았어요.

흥부 : **쯧쯧 불쌍한 제비… 내가 고쳐 줄게**

흥부는 붕대로 제비 다리를 잘 매어 주었어요. 가을이 되자 제비는 흥부집을 떠나 따뜻한 남쪽으로 날아갔어요.

単語Set2

어느	冠	ある、どの	새끼	名	動物の赤ちゃん
구렁이	名	アオダイショウ	부러지다	動	折れる
처마	名	軒	붕대	名	包帯
잡아먹다	動	動物を屠って食べる	매다	動	結ぶ
공격하다	副	攻める	불쌍하다	形	かわいそうだ
막대기	名	棒			

24

Set3

한 해가 지나고 봄이 찾아오자 흥부네 집에 제비가 날아왔어요.

흥부 : **너는 작년에 다리가 부러진 그 제비구나!**

제비 : **흥부님, 제 다리를 고쳐 주셔서 감사드립니다. 감사의 뜻으로 드리는 것이니 이 박씨를 받아 주세요.**

제비가 박씨를 떨어뜨리고 날아갔어요. 담 밑에 박씨를 심었더니 지붕에 박이 주렁주렁 열렸어요.

흥부 : **먹을 것도 없고 배도 고프니 박을 타서 죽이라도 끓여 먹읍시다.**

흥부와 흥부 부인은 박을 타기 시작했어요.

첫 번째 박을 타자마자 그 안에서 쌀이 잔뜩 나왔어요.

흥부 가족들 : **우아, 대박! 아니 이게 웬 쌀이야. 이젠 우리도 배부르게 먹을 수 있겠다!**

두 번째 박에서는 금은보화와 비단이 쏟아져 나왔어요.

흥부 가족들: 우아, 우리 완전 부자 됐어!

세 번째 박에서는 목수들이 나와서 흥부에게 기와집을 지어 주었어요.

흥부 가족들 : **이제는 우리도 비 안 새는 집에서 살 수 있겠다! 아이고 경사 났네, 경사 났어!**

単語Set3

날아오다	動	飛んでくる	금은보화	名	金銀宝物
박씨	名	フクベの種	비단	名	絹
심다	動	植える	쏟아지다	動	降り注ぐ
지붕	名	屋根	완전	名	完全
주렁주렁	副	鈴なり、ぞろりと	부자	名	金持ち
열리다	動	実る	기와집	名	瓦屋
(박을) 타다	動	フクベを挽く	짓다	動	建てる
잔뜩	副	いっぱい	(비가) 새다	動	雨が漏れる
대박	名	大当り	경사	名	慶事
웬	冠	なんという			

Set4

25

한편 흥부가 부자가 되었다는 소문을 듣자 놀부는 샘이 났어요.

놀부는 바로 흥부네 집에 달려가 흥부에게 물었어요.

놀부 : **도대체 어떻게 부자가 된 거냐?**

흥부 : **제비 다리를 고쳐 주었더니 이렇게 부자가 되었어요.**

집에 돌아온 놀부는 매일 제비집만 쳐다봤어요. 하지만 성질 급한 놀부는 제비가 다리를 다칠 때까지 마냥 기다리고 있을 수가 없었지요.

놀부 : **에이, 안 되겠다! 직접 제비의 다리라도 부러뜨려야겠다! (뚝) 제비 이놈아 조금만 참아라, 내가 곧 고쳐 줄게. 그리고 이 은혜 절대로 잊으면 안 된다.**

제비 : **아야! (눈물을 뚝뚝 흘리며 혼잣말로) 어디 두고 보자….**

제비가 놀부네 집에도 박씨를 떨어뜨려 주었어요. 놀부는 싱글벙글 웃으며 흥부가 말한 대로 담 밑에 박씨를 심었어요.

놀부는 부인과 함께 엄청 기대하며 신나게 박을 탔어요.

놀부 : **색깔이 누렇네! 분명 금이겠지? 그런데 이게 무슨 냄새야? 어휴..**

첫 번째 박이 쩍 갈라지면서 누런 똥물이 쏟아져 나왔어요.

두 번째 박에서는 도깨비들이 나와 놀부와 놀부 부인을 몽둥이로 신나게 때렸어요.

도깨비 : **제비의 다리를 부러뜨린 나쁜 놈!**

놀부 · 놀부 부인 : **아이고 살려주세요. 잘못했어요!**

세 번째 박에서는 도둑들이 나와서 놀부네 집에 있는 모든 물건들을 훔쳐 갔어요.

놀부 · 놀부 부인 : **아이고 아이고, 우리는 망했네 망했어. 완전 거지가 되었구나.**

흥부가 이 소식을 듣고 달려와서는 거지가 된 놀부에게 같이 살자고 했어요. 놀부는 눈물을 흘리며 잘못을 크게 뉘우치고 흥부와 사이좋게 살았답니다.

(끝)

単語Set4

한편	名	一方	누렇다	形	黄色(大きいイメージ)
소문	名	噂	쩍	副	ぽかんと
샘	名	嫉妬	갈라지다	動	割れる
도대체	副	一体	금	名	金
부러뜨리다	動	折る	냄새	名	におい
쳐다보다	動	見上げる・見つめる	똥	名	糞
뚝	副	ぷつんと	놈	名	野郎
뚝뚝	副	はらはら	아이고	感	ああ、まあ、やれやれ
혼잣말	名	独り言	살려주다	動	助けてやる
싱글벙글	副	ニコニコ(特に男性)	훔치다	動	盗む
엄청	副	甚だしく	망하다	動	滅びる
신나다	動	浮かれる	뉘우치다	動	悔いる

内容チェック

会話1と2と3と4の内容と一致するものは○、一致しないものは×をしよう。

❶ 흥부는 놀부에게 보리쌀을 빌려줬다. (　　　)

❷ 흥부는 놀부 부인에게서 밥주걱을 선물로 받았다. (　　　)

❸ 흥부가 다친 제비를 치료해 주었다. (　　　)

❹ 제비는 흥부네 집에서 겨울을 보냈다. (　　　)

❺ 제비가 흥부에게 감사의 뜻으로 박씨를 떨어뜨리고 날아갔다. (　　　)

❻ 흥부는 박에서 나온 쌀, 금은보화, 비단으로 부자가 되었다.(　　)

❼ 놀부는 흥부의 말대로 제비의 다리를 부러뜨렸다. (　　　)

❽ 놀부와 놀부 부인은 도깨비한테 몽둥이로 맞았다. (　　　)

❾ 놀부는 깊이 반성하고 흥부는 놀부를 용서해 줬다. (　　　)

ディクテーションの練習

26

① ______________________________

② ______________________________

③ ______________________________

④ ______________________________

練習問題1(語彙)

망하다	쳐다보다	터덜터덜	주렁주렁	싱글벙글	잔뜩	부러지다	대박	뚝

(1) 가 : X-레이 검사 결과 나왔어요?

나 : 네. 다리가 (　　　　　)대요. 마라톤 대회에 못 나갈 것 같아요.

(2) 제주도는 귤이 유명하대요. 지금이면 귤이 (　　　　　) 열렸겠네요.

(3) 가 : 왜 그렇게 (　　　　　) 웃으세요?

나 : 지난 주에 산 복권이 당첨돼서요.

(4) 가 : 슈퍼에서 뭘 그렇게 (　　　　　) 사 왔어?

나 : 오랜만에 세일을 하더라고.

(5) 가 : 유토 씨한테 무슨 일이 있대요? 아까 힘없이 (　　　　　) 걸어가던데.

나 : 새 아르바이트를 찾는데 면접에서 자꾸 떨어진대요.

(6) 가 : 왜 자꾸 나를 (　　　　　　)? 얼굴에 뭐라도 묻었어?

나 : 응. 혹시 점심 때 김밥 먹었니? 뺨에 김이 묻은 것 같아.

(7) 가 : 이번 콘서트는 정말 기대돼. 아이돌하고 투샷이 당첨됐거든.

나 : 와! (　　　　　)인데! 한턱 내! 오늘 점심 사!

(8) 가 : 오늘 프레젠테이션 발표 잘 했어?

나 : 완전 (　　　　　). 파일이 깨져서 아무것도 못 보여 주고 그냥 읽었어.

(9) 개그 프로그램이 너무 재미있어서 웃다가 갑자기 (　　　　　) 하는 소리가 났다. 앗! 턱이 빠졌다.

活動：
읽기×
말하기

《흥부전》은 조선 후기에 한글로 쓰인 소설입니다. 정확한 작자는 알려지지 않았는데, 욕심 많은 형 놀부와 가난하지만 착한 동생 흥부에 대한 이야기입니다. 웃음과 풍자가 뛰어나서《흥부가》라는 판소리로도 사랑을 받고 있지요.

《흥부전》의 시대적 배경인 조선 후기는 새로운 농업 방식의 등장, 상공업의 발달, 세금 제도의 개혁 등 경제 변화가 많은 시기였습니다. 부자가 된 농민이 늘어나고 경제적으로 몰락한 양반도 생겨나 신분보다는 돈이 곧 힘과 권력이 되는 사회였습니다. 또 상속 제도에도 많은 변화가 생겼는데, 흥부가 놀부에게서 쫓겨나 가난하게 살 수밖에 없었던 이유 역시 바로 이 상속 제도의 변화 때문이었습니다. 조선 초기인 14세기 말부터 300년 동안은 아들과 딸, 장남과 차남의 구별 없이 모두 똑같이 부모의 재산을 상속받았습니다. 그런데 이러한 상속 제도는 18세기에 이르면 장남에게만 상속이 집중되는 방식으로 바뀌게 됩니다.

《흥부전》은 흥부의 비참하고 어려운 상황을 다루는 장면에서도 웃음이 넘쳐 나는 이야기로 이루어졌습니다. 이러한 웃음은 어려운 상황을 벗어나 보려는 보통 사람들의 건강한 삶을 보여 주는 것입니다. 가난했던 흥부가 제비의 도움으로 큰 부자가 된다는 이야기는 가난에서 벗어나기를 꿈꾸는 당대 수많은 민중들을 대리만족시켜 줬습니다. 한편 놀부가 도깨비들에게 호되게 벌을 받는 장면은 민중들의 억눌린 마음을 시원하게 풀어주는 카타르시스적인 기능을 하기도 했습니다. 이렇게 사람들은 《흥부전》을 통해 답답한 현실에서 벗어나 통쾌함을 느끼고, 위로를 받을 수 있었습니다.

후기 後期　소설 小説　작자 作者　알려지다 知られる　풍자 風刺
뛰어나다 優れる　시대 時代　배경 背景　농업 農業　방식 方式
상공업 商工業　발달 発達　세금 税金　제도 制度　개혁 改革
경제 経済　시기 時期　농민 農民　경제 経済　몰락 没落　양반 両班

신분 身分　권력 権力　재산 財産　상속 相続　장남 長男　차남 次男
구별 区別　집중 集中　넘쳐나다 あふれる　비참 悲惨　상황 状況
벗어나다 切り抜ける　삶 生活　대리 代理　호되다 ひどい　벌받다 罰せられる　민중 民衆　억눌리다 抑圧される　풀어주다 晴らしてやる
카타르시스 カタルシス　기능 機能　답답하다 息苦しい　통쾌하다 痛快だ
판소리 パンソリ：朝鮮王朝第21代王英祖以来、歌われている太鼓の伴奏による韓国固有の語り物の歌唱。

1. 다음 중 《흥부전》의 시대적 배경과 다른 것을 고르세요. (　　)

① 《흥부전》은 조선 후기에 쓰여진 작자 미상의 한글 소설이다.

② 새로운 농업 방식과 상공업의 발달, 세금 제도의 개혁이 이루어진 시기인데, 흥부는 경제적으로 몰락한 양반을 대표한다.

③ 18세기에 들어서면 장남에게만 상속이 집중되는 방식으로 제도가 변화한다.

④ 돈보다는 신분이 힘과 권력이 되는 사회였다.

2. 本文の内容と一致するものは○、一致しないものは×をしよう。

① 《흥부가》는 웃음과 풍자가 뛰어난 판소리로서 민중의 사랑을 받고 있다. (　　)

② 《흥부전》은 흥부의 비참하고 어려운 상황만을 보여 줌으로써 조선 시대 후기의 억눌리고 답답한 현실을 있는 그대로 반영한 작품이다. (　　)

③ 《흥부전》의 웃음은 어려운 상황을 벗어나 보려는 보통 사람들의 건강한 삶을 보여 준다. (　　)

④ 《흥부전》의 카타르시스적 기능은 놀부가 도깨비들에게 벌을 받아서 죽었다는 이야기를 통해 민중의 마음을 통쾌하게 풀어 주었다는 것이다. (　　)

⑤ 민중들은 흥부가 제비의 도움으로 부자가 된다는 스토리에서 대리 만족을 느꼈다. (　　)

活動：
쓰기×말하기
녹음 또는 촬영

《흥부와 놀부》를 읽고 친구와 함께 역할을 정해 실제로 연극을 해 봅시다.

역할	친구 이름	역할	친구 이름
내레이터		제비	
흥부		도깨비	
놀부		목수	
흥부부인		도둑	
놀부부인			

活動：듣기

27

1. 무엇에 대해 쓴 것입니까? (　　)

　① 서울시 강남구의 현대적 의미

　② 〈흥부전〉에 나오는 강남의 위치와 특징

　③ '친구 따라 강남 간다' 는 속담의 뜻

　④ 제비의 종류에 따른 서식지의 차이

2. 겨울을 보내기 위해 제비가 날아간 곳은 어디입니까? (　　)

　① 한국　　② 중국　　③ 인도　　④ 일본

3. 강남은 어떤 곳입니까? (　　)

　① 제비와 박이 많은 곳

　② 따뜻하고 풍요로운 곳

　③ 친구와 같이 놀러 가는 곳

　④ 큰 강이 흐르는 곳

評価

✔ Self Check　☆☆☆☆☆

✔ Group Check　☆☆☆☆☆

제7과 저녁 시간이니까 좀 기다려야 할지도 모르겠다.

友達と食べ物の話で盛り上がってみよう。

28 **会話1** 시험을 보고 나서

보라

리나

보라 : 이번 시험 어땠어? 잘 봤어?

리나 : 아니. 잘 보기는커녕 망친 거 같아. 어떡하지?

보라 : 너도 그래? 나도 그런데! 완전 망쳤어.
아, 진짜 기분도 우울한데, 뭐 맛있는 거라도 먹으러 갈까?

리나 : 응, 좋아! 우리 맛있는 거 먹으러 가자. 매콤한 치즈닭갈비는 어때?

보라 : 어, 그거 좋겠다. 그렇지 않아도 요즘 매운 게 먹고 싶었는데….

리나 : 근데... 지금 딱 저녁 시간이니까 좀 기다려야 할지도 모르겠다.

보라 : 그래? 난 괜찮아. 맛있는 거 먹으려면 그 정도 고생은 해야지.

29 **会話2** 식당 앞에서

리나

보라

리나 : 우와, 정말 사람 많다. 많이 기다려야 할 거 같은데, 어떡하지?

보라 : 어쩔 수 없지 뭐. 여기서 좀 기다리자. 근데 요즘 일본에서 한국 음식이 인기가 있기는 있는 모양이야. 이렇게 사람이 많은 걸 보면.

리나 : 응, 맞아. 일본에는 한국처럼 매콤한 음식이 별로 없으니까 그런 거 같아.

보라 : 리나 넌 한국 음식 중에 뭐가 제일 좋아?

리나 : 난 뭐든지 다 잘 먹는데…, 그래도 찜닭이 제일 맛있더라. 그렇게 맵지도 않고. 정말 내 입에 딱 맞는 것 같아.

보라 : 그래? 그럼 내가 다음에 우리 집에서 찜닭 만들어 줄까?

리나 : 진짜? 보라 넌 정말 요리를 잘하나 보구나!

보라 : 꼭 그런 건 아닌데 한국 음식은 웬만한 건 다 만들 줄 아니까 언제든지 말만 해.

内容チェック

会話1と2の内容と一致するものは○、一致しないものは×をしよう。

❶ 이번에는 리나만 시험을 봤다. (　　)

❷ 두 사람은 저녁을 먹기 위해서 한국 음식점에 갔다. (　　)

❸ 리나 씨가 제일 좋아하는 한국 음식은 닭갈비다. (　　)

❹ 보라 씨는 음식을 잘 만드는 편이다. (　　)

単語

우울하다	形	憂鬱だ	망치다	動	台無しにする
고생하다	形	苦労する	매콤하다	形	甘辛い

表現

입에 맞다	口に合う	웬만한 건	ある程度の物は

練習問題1(語彙)

인기　　입　　언제든지　　고생　　완전히　　별로

⑴ 가 : 이번에 상진 씨가 도와 주셔서 정말 큰 힘이 됐어요. 고마워요.

　나 : 별말씀을요. 제 도움이 필요하면 (　　　　　) 말씀만 하세요.

⑵ 가 : 집 떠나면 (　　　)이라고 하던데. 정말 이번에 많이 힘들었다.

　나 : 어디에 갔다 오셨는데 그러세요?

⑶ 가 : 많이 안 맵게 만든다고 만든 건데 어떻게 음식이 (　　　)에 잘 맞으셨는지 모르겠네요.

　나 : 아니에요. 정말 맛있게 먹었습니다. 제 입맛에 딱이었어요.

⑷ 가 : 작년 겨울은 정말 추웠어. 그치? 이번에도 추우려나?

　나 : 일기예보를 보니까 올해는 (　　　) 안 춥다고 하던데요.

⑸ 가 : 요즘 (　　　) 있는 곳이 뭐예요?

　나 : 저도 요즘 음악을 듣지 않아서 잘 모르겠네요.

ディクテーションの練習

30

①

②

③

④

文法

1.
名＋은커녕/는커녕
動・形＋기는커녕

解説 言われた事実に対して、それを否定することは勿論、それよりもひどいことを表すときに使う。

例 **영어는커녕** 한국어도 아직 잘 못해요.
요즘 중고등학생들은 **소설은커녕** 교과서도 잘 안 읽는대요.
돕기는커녕 방해만 하지 않으면 좋겠다.
일기예보와 달리 비가 **오기는커녕** 햇볕만 쨍쨍하네.

2.
動・形＋을지/ㄹ지도 모르(겠)다
動・形＋었을지도/았을지도/였을지도 모르(겠)다

解説 実現の可能性はあるが、完全には確信できないことに対する推測を表すときに使う。日本語の「~するかもしれない」に当たる。

例 일기예보를 보니까 내일은 비가 **올지도 모르겠다고** 하네요.
내일 수업에서는 사전이 **필요할지도 모르니까** 다들 사전을 꼭 가지고 오세요.
지금쯤이면 회사일이 다 **끝났을지도 모르니까** 전화해 볼까?
한 시간 전에 돌아간다고 했으니까 이미 집에 **왔을지도 모르겠다.**

3. 動・形の連体形＋모양이다

解説 直接見たり聴いたりして自分なりの根拠を持って推測する際使う。

注意1 推測する内容によって、連体形の形が変わる。

注意2 客観的な立場から観察しているような言い方ということで、「−것 같다」は区別される。自分のことに対しては使わない。

例 구름이 잔뜩 끼어 있는 걸 보니까 곧 비가 **올 모양이에요**.
철수는 안내 방송을 못 **들은 모양이네**.
재는 이불도 안 덮고 자네. **더운 모양이야**?
눈이 안 **좋은 모양이에요**. 자꾸 미간을 찌푸리시네요.
아이가 수학을 **잘하는 모양이네요**. 저 문제집이 아주 어렵다고 하는데 잘 푸네요.

4. 動＋을/ㄹ 줄 알다[모르다]

解説 勉強や練習を通じてやり方が分かるので、それができる/できないということを表す。

注意 同様に可能形として使われる「−을/ㄹ 수 있다」は、能力を持っていたり許可をもらったりして、それができるということを表す。日本語訳では、この両表現の差は表せない。

例 우리 아이는 아직 세 살이지만 벌써 한글을 **읽을 줄 알아요**.
한국 요리는 배운 적이 없어서 아직 **만들 줄 몰라요**.
스키 **탈 줄 알아요**?
아이가 자전거를 처음 타는 것이어서 **탈 줄 몰라요**.

練習問題2(文法)

1. 状況に合うような会話を完成させてみよう。

⑴ 状況 夫があまり家事をしない

가：요즘 젊은 아빠들은 집안일도 많이 한다고 하던데 영호네 아빠는 집안일 좀 해요? 설거지라든가….

나：무슨 말씀을요. ________________은/는커녕 집안일은 손가락 하나 까닥 하지 않아요.

⑵ 状況 友達からお金を貸してほしいと言われたが、自分もお金がない。

가：야, 돈 좀 있어? 나 만 원만 빌려 줄 수 있니?

나：미안. ________________ 은커녕 ____________________________________

⑶ 状況 韓国に行く前までは少し怖いというイメージがあったが、実際行って来てみたらそうではなかった。

가：이번에 한국 갔다 왔다며? 요즘 한일관계가 안 좋다고 하던데, 무섭지 않았어?

나：________________________ 기는커녕 ____________________________________

⑷ 状況 梅雨なので雨が降ると思っていたが、空には雲一つもない。

가：요즘은 정말 날씨가 이상한 거 같아. 비가 전혀 안 오네. 지금 진짜 장마철인 거 맞아?

나：그러게. ________________기는커녕 ____________________________________

⑸ 状況 少し辛いけどおいしい店だと聞いて行ったが、辛いだけだった。

가：누가 여기 맛있다고 했어? 하나도 안 맛있는데.

나：맞아. ____________________ 기는커녕 ______________________________

⑹ 状況 先生は簡単な宿題だと言っていたが、とても大変だった。

가：너 숙제 다 했어? 선생님은 쉽다고 했는데….

나：그러게. 그거 다 거짓말이야. __________기는커녕 ____________________

2. 表の中を書き埋め、その下線部に文を書いてみよう。

<table>
<tr><th></th><th>意味</th><th>過去</th><th>現在・未来</th><th></th></tr>
<tr><td>(1) 찾다</td><td>探す</td><td>찾았을지도</td><td>찾을지도</td><td rowspan="13">+모르다</td></tr>
<tr><td>(2) 빌리다</td><td></td><td></td><td></td></tr>
<tr><td>(3) 듣다</td><td></td><td></td><td></td></tr>
<tr><td>(4) 만들다</td><td></td><td></td><td></td></tr>
<tr><td>(5) 부르다</td><td></td><td></td><td></td></tr>
<tr><td>(6) 낫다</td><td></td><td></td><td></td></tr>
<tr><td>(7) 싸다</td><td>安い</td><td>쌌을지도</td><td>쌀지도</td></tr>
<tr><td>(8) 나쁘다</td><td></td><td></td><td></td></tr>
<tr><td>(9) 춥다</td><td></td><td></td><td></td></tr>
<tr><td>(10) 재미있다</td><td></td><td></td><td></td></tr>
<tr><td>(11) 맛없다</td><td></td><td></td><td></td></tr>
<tr><td>(12) 농담이다</td><td></td><td></td><td></td></tr>
<tr><td>(13) 진심이다</td><td></td><td></td><td></td></tr>
</table>

(1) 선생님이 찾으실지도 모르니까 빨리 교실로 돌아가야겠다.

(2)

(3)

(4)

(5)

(6)

(7) 저 가게가 세일 중이니까 더 쌀지도 모르겠다. 저리로 가자.

(8)

(9)

(10)

(11)

(12)

(13)

3.「-모양이다」を使い、文脈に合わせた会話を完成させてみよう。

(1) 가 : 저기 리나 씨가 급히 뛰어가네요.

나 : 네,

(2) 가 : 입국장이 아주 소란스럽네요. 유명한 사람이라도 왔나….

나 : 네, 맞아요.

(3) 가 : 아까 지훈 씨가 청첩장을 돌리는 것 같던데요.

나 : 네, 저도 받았어요.

(4) 가 : 회의실에서 나오는 소리가 생각보다 큰 것 같지요?

나 : 네, 그러게요.

(5) 가 : 하늘에 구름이 잔뜩 끼어 있네요.

나 : 아침에 일기예보를 보니까

4. 次の動作ができるかどうか選び、文を完成させてみよう。

	가능	불가능
숫자를 세다		✓
↳ 아이가 아직 어려서 숫자를 셀 줄 몰라요.		
메시지를 보내다	✓	
↳ 요즘 나이 드신 분들도 카톡으로 메시지를		
자전거를 타다		
↳ 저는		
테니스를 치다		
↳ 저는		
걷다		
↳ 아기가		
만들다		
↳ 저는		

活動：듣기×말하기

31

1. 本文の内容と一致すれば○、間違っていれば×をしよう。

⑴ 한국에서는 꽃을 가지고 떡이나 전을 만들어 먹기도 한다. (　　)

⑵ 여름에는 날이 덥기 때문에 가급적 뜨거운 음식은 안 먹는다. (　　)

⑶ 송편은 그 해 수확한 햅쌀을 가지고 만든다. (　　)

⑷ 한국에서는 계절에 상관없이 음식을 먹는다. (　　)

2. 次の質問に答えなさい。

⑴ 여름에 오이지나 짠지를 만들어 먹는 이유는 무엇인가? (　　)

① 만들어 먹기 편하니까

② 여름에 오이가 싸기 때문에

③ 땀으로 배출되는 소금기를 보충하기 위해

④ 예부터 내려오는 전통이기 때문에

⑵ 한국에서 겨울에 김치를 많이 담그는 것을 뭐라고 하는가? 그리고 그 이유는 무엇인가?

① (　　　　)　　② 그 이유：＿＿＿＿＿＿＿＿＿＿

⑶ 남부 지방과 북부 지방의 김치의 맛을 비교하고 그 이유를 적으시오.

	남부 지방	북부 지방
김치의 맛		
그 이유		

活動：
읽기×
말하기

〈次の料理レシピを見て、質問に答えなさい。〉

재료: 닭 1마리(700g), 감자 1개, 당근 1/2개, 양파 1개, 새송이버섯 2개, 대파 1대, 고구마 1개, 홍고추 1개, 청양고추 2개, 건고추 2개, 고춧가루, 물 200ml, 춘장 1/3큰술, 참깨 조금, 당면, 떡

양념장: 진간장 100ml, 맛술 50ml, 설탕 적당량, 물 100ml, 다진 마늘 1큰술, 다진 생강 1/2작은술, 참기름 1큰술

1. 당면을 미리 물에 불려 주세요. 찜닭 하면 빠뜨릴 수 없는 게 바로 당면이지요! 납작 당면도 맛있으니까 좋아하시는 걸 넣으세요.
2. 그리고 닭을 깨끗하게 손질해 놓는 것도 중요합니다. 핏물을 완전히 제거해 주세요. 물론 마트에서 찜닭용으로 다 손질되어 있는 것을 사셔도 됩니다.
3. 감자와 대파는 오래 불을 때니까 큼지막하게 썰어 주시고요. 양파는 먹기 좋은 크기로 자르면 됩니다.
4. 찜닭의 양념장은 간장이 기본이에요. 보통 청양고추를 듬뿍 넣고 칼칼하게 만드는 게 포인트인데, 매운 걸 잘 못 드시는 분들은 고추를 넣지 않아도 됩니다.
5. 그럼 먼저 프라이팬에 닭을 넣고, 미리 만들어 놓은 양념장을 부어 주세요. 그리고 살짝 간을 본 다음에 너무 짜면 물을 조금 더 넣으세요.
6. 이 상태에서 센 불로 팔팔 끓이세요. 닭이 어느 정도 익으면 감자와 고구마를 넣으세요. 감자가 다 익으면 대파, 버섯, 양파를 넣고, 마지막에 불을 가장 약하게 하고 떡과 당면을 넣습니다.
7. 입맛에 맞게 홍고추나 청양고추, 고춧가루 등을 첨가하시면 맛있는 찜닭 완성!!!

1. 다음 중 위에서 설명한 찜닭 레시피에 필요한 재료가 아닌 것은? (　　)

① 파　　② 고추　　③ 닭고기　　④ 치즈

2. 감자는 언제 넣으면 됩니까?

____

3. 매운 것을 잘 못 먹는 사람은 어떻게 해야 합니까?

____

4. 本文の内容と一致するものは○、一致しないものは×をしよう。

① 마드에 가면 찜닭용으로 손질된 고기를 살 수 있다. (　　)

② 찜닭은 기본적으로 고추장으로 맛을 낸다. (　　)

③ 떡과 당면은 마지막에 넣는 것이 좋다. (　　)

5. 자기가 가장 잘 만들 수 있는 요리는 무엇입니까? 그 요리에 대하여 친구들한테 소개해 봅시다.

評価

✔ Self Check　☆☆☆☆☆

✔ Group Check　☆☆☆☆☆

제8과 비행기에 반려동물을 태울 수 있어?

友達とペットの話をしてみよう。

보라

리나

32 **会話1** 펫샵 앞에서

보라 : 요즘 혼자 집에 들어가면 좀 외롭더라. 강아지를 키우면 어떨까?

리나 : 거북이는 어때? 기르기도 쉽고 조용하잖아. 우리 거북이 사진 보여 줄까?

보라 : 귀엽긴 한데… 거북이는 좀 심심할 것 같아.

리나 : 강아지는 일단 먹이고 씻겨서 털도 말려야 되고, 산책도 시키고, 일이 정말 많아. 게다가 짖으면 시끄럽잖아. 돈도 많이 들고….

보라 : 그래도 나는 강아지를 키우고 싶어. 시바견은 강아지 중에서도 성격이 조용하고 온순한 편이라니까 괜찮지 않을까?

리나 : 너 생각보다 고집이 세구나. 아무튼 들어가 보자.

리나

보라

33 **会話2** 펫샵 안에서

(시바견을 보며)

리나 : 얘 너랑 좀 닮은 것 같다. ㅋㅋ 만져 보게 해 달라고 할까?

보라 : 우와…, 꼬리 좀 봐. 털이 보들보들한 게 엄청 귀엽다. 아, 진짜 마음에 쏙 들어. 당장 얘를 집에 데리고 가고 싶은데 어떡하지?

리나 : 참! 우리 겨울에 여행 가기로 했잖아. 그때 강아지는 어떻게 할 건데?

보라 : 아…, 깜박 잊어버릴 뻔했다! 비행기에 강아지를 태울 수 있을까?

리나 : 항공사에 따라 반려동물 규정이 다르니까 확인해 봐야 돼. 그런데 난 강아지 데리고 이번 여행 가는 거 반대야. 강아지 호텔에 맡기든지 하는 건 어때?

보라 : 그럼 좀 참았다가 여행에서 돌아오자마자 키워야겠다. 그런데 다른 사람이 먼저 얘를 데려가면 어떡하지? 아…, 아쉽다.

内容チェック

会話1と2の内容と一致するものは○、一致しないものは×をしよう。

❶ 보라는 요즘 거북이를 키워서 외롭지 않다. (　　　)

❷ 리나는 강아지 키우는 것을 귀찮다고 생각한다. (　　　)

❸ 강아지는 모든 비행기에 태울 수 있다. (　　　)

❹ 보라는 겨울 여행을 마치자마자 강아지를 키울 것이다. (　　　)

単語

외롭다	形	寂しい	닮다	動	似ている
키우다	動	育てる	만지다	動	触る
거북이	名	亀	꼬리	名	しっぽ
기르다	動	飼う	털	名	毛
조용하다	形	静かだ	보들보들하다	形	滑らかだ、しなやかだ
보이다	動	見せる	엄청	副	ものすごく
심심하다	形	退屈だ	당장	副	今すぐ
먹이다	動	食べさせる	깜박	副	うっかり
씻기다	動	洗わせる	혹시	副	もしかして
말리다	動	乾かす	태우다	動	乗せる
항공사	名	航空会社	시키다	動	させる
따르다	動	従う	게다가	副	さらに
반려동물	名	ペット	짖다	動	ほえる
규정	名	規定	성격	名	性格
반대	名	反対	온순하다	形	おとなしい
맡기다	動	預ける、任す	아쉽다	形	惜しい
참다	動	我慢する、耐える	얘	名	この子

表現

데리고 가다	連れて行く	名+에 따라	名+によって

練習問題1(語彙)

당장	반려동물	재우다	거북이	익히다
게다가	태우다	돌리다	썩히다	시키다

(1) 불고기는 고기를 양념에 오래 (　　　　)수록 맛있습니다.

(2) 요즘엔 김치를 김치냉장고에서 (　　　　)는데 적정 온도가 6.5℃래요.

(3) 비도 오는데 역까지 자동차로 (　　　　) 주세요.

(4) 냉장고에 음식을 오래 두어 (　　　　)면, 음식은 물론 냉장고 내부까지도 오염된다고 합니다.

(5) 요즘 한국에서는 애완동물을 (　　　　)이라고 부르는 경향이 있다.

(6) 밤새 내린 눈 때문에 도로가 꽁꽁 얼어붙어서 자동차들이 (　　　　) 걸음을 하고 있다.

(7) 그 학생을 추천하고 싶습니다. 공부도 잘 하고 (　　　　) 아주 성실하기까지 하지요.

(8) 가：1억을 10억이라고… 숫자가 틀리면 어떡합니까? 0이 하나 더 있잖아요!
곧 회의를 시작하니까 (　　　　) 고쳐서 10분 내로 다시 보내세요!
나：죄송합니다. 지금 바로 고쳐서 보내겠습니다.

(9) 오늘은 바람도 좋고 햇살도 좋은 빨래하기 딱 좋은 날씨입니다. 이런 날씨에는 빨래들이 잘 마르겠죠? 내일은 비가 오니까 빨래를 건조기에 (　　　　)야 할 수도 있어요.

ディクテーションの練習

34

①

②

③

④

文法

1. 動＋다가

動＋었다가/았다가/였다가

解説 ①「動＋다가」は、ある動作の進行の途中に別の動作を行うことを表す。日本語の「～しかけて(あるいは～している途中で)～」という表現に当たる。

②「動＋었다가」は、ある動作や状態などが完了され、他の動作や状態に変わることを表す。日本語の「～してから、した後で」表現に当たる。

例 수퍼에 **가다가** 지갑을 안 가져와서 다시 집에 왔어요.

어제 잠을 **자다가** 무서운 꿈을 꿔서 잠이 깼어요.

우메보시를 인터넷으로 **주문했다가** 취소했어요.

짝사랑하는 여자에게 편지를 **썼다가** 지웠어요.

2. 動＋을/ㄹ 뻔했다

解説 望んでいなかったことが危うく起きるところだったことを表す。日本語の「～しそうになった、～ところだった」に当たる。

例 가방에서 휴대폰을 꺼내다가 **떨어뜨릴 뻔했어요**.

늦잠을 자서 시험에 **늦을 뻔했어요**.

친구랑 싸워서 **절교할 뻔했어요**.

3. 動＋든지

解説 「動＋든지」は、羅列された動作や状態、対象の中からどれか選択できることを示す。日本語の「～するか」あるいは「～たり～たりする」に当たる。

補足 終結語尾として文を締めくくる際は、相手への軽い感じの提案を表すこともできる。

例 (1) 가：점심으로 뭐 먹지?

나：글쎄, 컵라면을 **먹든지** 자장면을 시켜 **먹든지** 하자.

(2) 가：강아지 어떡하지?

나：강아지를 여행에 데리고 **가든지** 호텔에 **맡기든지** 알아서 결정해.

練習問題2(文法)

1. (a)と(b)を繋いで(c)の欄に「−다가」または「−었다가/았다가/였다가」を使った文を書き、日本語訳をしてみよう。

	(a)	(b)
(1)	드라마를 봐요・	・지웠어요
(2)	고향에 갔어요・	・합시다
(3)	이름을 썼어요・	・울었어요
(4)	운동을 해요・	・동전을 주웠어요
(5)	방을 청소해요・	・초등학교 동창을 만났어요
(6)	잠깐 쉬었어요・	・다쳤어요.

(c)

1. ______________________________

日本語訳：______________________________

2. ______________________________

日本語訳：______________________________

3. ______________________________

日本語訳：______________________________

4. ______________________________

日本語訳：______________________________

5. ______________________________

日本語訳：______________________________

6. ______________________________

日本語訳：______________________________

2. 例のように文を書き直し、日本語訳をしてみよう。

例 운동화를 신어서 미끄러지지 않았어요.

➜ 운동화를 신지 않았으면 미끄러질 뻔했어요.

日本語訳：運動靴を履いていなかったらこけるところでした。

(1) 과제를 일찍 시작해서 기한 안에 제출했어요.

➜ ______

日本語訳：______

(2) 수첩을 다시 한번 확인해서 약속을 잊지 않았어요.

➜ ______

日本語訳：______

(3) 택시를 타서 제시간에 겨우 도착했어요.

➜ ______

日本語訳：______

(4) 횡단보도의 양옆을 잘 확인하고 건너서 사고가 나지 않았어요.

➜ ______

日本語訳：______

(5) 친구 대신에 소개팅에 나가서 지금의 남자 친구를 만났어요.

➜ ______

日本語訳：______

3. 日本語訳をしてみよう。

⑴ 여기에 있지 말고 집에 가든지 학교에 가든지 해라.

日本語訳：

⑵ 가：남자 친구 어디가 제일 마음에 드세요?

나：바쁜데도 휴일에 드라이브를 시켜준다든지 맛집에 데리고 가 준다든지 나를 행복하게 해 주는 거요.

日本語訳：

가：

나：

4. 사역표현(使役表現)

解説 使役とは、ある行為を他人に行わせることを表す。韓国語の使役表現は大まかに2つのタイプがある。

⑴ 直接使役：他人の行動に直接関与する場合。

➜ 使役接尾辞の「-이, 히, 리, 기, 우, 추-」を用いて、動詞自体を使役動詞に変える。

例 엄마가 아이에게 밥을 **먹인다**. ← ママが子どもの口にご飯を入れて食べさせる場合。

⑵ 間接使役：他人の行動に直接関与せず、指示や命令などを通じてその行動をさせる場合。

① 補助用言の「-게 하다」

例 엄마가 아이에게 밥을 **먹게 한다**. ← ママが子どもにご飯を食べなさいと言っている場合。

② 名詞+하다 ➜ 名+시키다

例 중국집에 전화해서 음식을 **배달시켰다**.

一般他動文から使役文への転換方法

a. 動詞に使役の標識を付ける。

b. 一般他動文の主語を間接目的語にさせる。

c. 使役主語を追加する。

一般他動文：	아이-가	밥-을	먹었다.
	主語	目的語	述語
新たに ↘	↓	↓	↓
使役主語	間接目的語	直接目的語	述語(使役)
使役文：엄마-가	아이-에게	밥-을	먹-이-었다.

4-1. 使役形：接辞「-이, 히, 리, 기, 우, 추-」が使われる

	動/形	使役動詞		動/形	使役動詞
-이-	보다	보이다	-히-	앉다	앉히다
	먹다	먹이다		읽다	읽히다
	죽다	죽이다		좁다	좁히다
	녹다	녹이다		입다	입히다
	끓다	끓이다		눕다	눕히다
	붙다	붙이다		맞다	맞히다
	높다	높이다		넓다	넓히다
	줄다	줄이다		괴롭다	괴롭히다
-리-	알다	알리다	-기-	웃다	웃기다
	살다	살리다		벗다	벗기다
	울다	울리다		씻다	씻기다
	돌다	돌리다		숨다	숨기다
	날다	날리다		옮다	옮기다
	듣다	들리다		빗다	빗기다
	오르다	올리다		맡다	맡기다
	구르다	굴리다		감다	감기다
-우-	자다	재우다	-추-	낮다	낮추다
	타다	태우다		맞다	맞추다
	깨다	깨우다		늦다	늦추다
	서다	세우다		곧다	곧추다

解説 動詞の使役形として一部の動詞に使役接辞「−이, 히, 리, 기, 우, 추−」が付く場合がある。他人が行動を行うように、使役主が直接関与した場合に使われる。

(1) 아기는 이유식을 먹는다. ➜ **使役形** 어머니가 아기에게 이유식을 **먹인다**.
(赤ちゃんは離乳食を食べる。➜ 母親が赤ちゃんに離乳食を食べさせる。)

(2) 환자가 침대에 눕는다. ➜ **使役形** 간호사가 환자를 침대에 **눕힌다**.
(患者がベッドに横になる。➜ 看護師が患者をベッドに横たえさせる。)

(3) 학생들이 그 소식을 안다. ➜ **使役形** 선생님이 학생에게 그 소식을 **알린다**.
(生徒たちがそのニュースを知る。➜ 先生が生徒にそのニュースを知らせる。)

(4) 라푼젤이 머리를 빗는다 ➜ **使役形** 마녀가 라푼젤의 머리를 **빗긴다**.
(ラプンツェルが髪の毛を梳く。➜ 魔女がラプンツェルの髪の毛を梳かす。)

(5) 강아지가 차에 탔다. ➜ **使役形** 보라가 강아지를 차에 **태웠다**.
(子犬が車に乗った。➜ ボラが子犬を車に乗せた。)

(6) 상품 가격이 낮다. ➜ **使役形** 상품 가격을 **낮췄다**.
(商品の価格が低い。➜ 商品価格を下げた。)

4-2. 補助用言の「−게 하다」

動+게 하다

解説 大体の動詞に「게 하다」を付けると使役表現になる。日本語の「～するようにする·させる」表現に当てはまる。

例 선생님이 학생에게 반성문을 **쓰게 했다**.
그 가수를 **만나게 해**주세요.
시바견 좀 만져 **보게 해** 주세요.

4-3. 名詞+시키다

名+시키다

解説 一部の名詞に「시키다」を付けると使役形になる。日本語の「～せる·させる」表現に当てはまる。

例 나는 음치니까 **노래시키지** 마세요.
성장기에 **수영을 시키면** 키가 큰대요.
오늘 점심은 **배달시켜서** 먹을까요?

練習問題3(文法)

1. (　) 안의 단어를 使役의 형태로 바꿔서 문장을 만드세요.

(1) 가 : 남자 친구한테서 받은 생일 선물 언제 (보다 　　　　　　) 줄 거야?

나 : 오늘밤에 SNS에 (오르다 　　　　　　) 거야. 〈좋아요〉 눌러 줘!

(2) 가 : 이 옷이 따님한테 잘 어울릴 거 같네요. 한번 (입다 　　　) 보세요.

나 : 그래요? 옷 (갈아입다 　　　　　　) 곳이 어디예요?

(3) 가 : 졸업하고 나서 뭐 할 거야?

나 : 글쎄, 대학교에서 배운 전공을 (살다 　　　　　) 수 있는 곳에 취직하고 싶은데….

(4) 가 : 두 분의 첫 만남에 대해서 이야기 좀 (듣다 　　　　　　) 주십시오.

나 : 언제였더라? 기억이 안 나네요.

(5) 가 : 저기 횡단보도 앞에서 (서다 　　　　　　　) 주세요.

나 : 네, 알겠습니다. 820엔입니다.

(6) 가 : 내일 급한 일이 생겨서요. 약속 시간을 좀 (늦다 　　　　) 주세요.

나 : 그래요? 그럼 한 시간 늦게 만날까요?

(7) 가 : 엄마, 내일 아침 6시에 (깨다 　　　　　　) 주세요.

나 : 알았어. 알람도 해 놔.

(8) 가 : 어디야? 공항에서 출발했어?

나 : 아니. (맡다 　　　　　　) 짐이 아직 안 나와서. 조금만 기다려.

(9) 가 : 배가 너무 많이 아파서 죽을 것 같아요.

나 : 어머! 식중독 아니에요? 찬물 말고 (끓다 　　　　) 물을 마시세요.

(10) 가 : 여기서 드론을 (날다 　　　　　　　　)면 안됩니다.

나 : 어머, 몰랐어요.

(11) 가 : 왜 이렇게 늦었어? 영화 시작하겠다.

나 : 세탁기 (돌다 　　　　　　)느라고 늦었어. 많이 기다렸어?

⑿ 사회자1 : 두 출연자의 점수차가 점점 (좁다 　　　　)지고 있습니다. 다음 퀴즈 문제 드리겠습니다.

사회자2 : 이번 문제를 보라 씨가 (맞다 　　　　)면 보라 씨의 우승이 확정되는데요.

⒀ 달성 목표를 조금만 (낮다 　　　　)고 싶다. 요즘 일 때문에 스트레스로 불면증에 걸렸다.

⒁ 그 수학 학원은 맨투맨 지도로 학생들의 수준에 (맞다 　　　　)서 수업이 운영되기 때문에 인기가 많다.

⒂ 박 선생님은 문법이 약한 학생들을 교실에 (남다 　　　　)서 보충 수업을 해 주셨다.

2. 다음의 (　　)에 알맞은 단어를 골라서 넣으세요.

앉히다	감기다	신기다	깨우다	시키다	태우다	씌우다

오늘은 미카의 운동회날이다. 나는 세 살 된 미카를 데리고 여덟 시 반까지 유치원에 도착해야 한다. 나는 일찍 일어나서 텔레비전을 보면서 미카가 좋아하는 캐릭터 도시락을 쌌다. 오늘의 테마는 '호빵맨' 이다.

7시쯤 쿨쿨 자고 있는 미카를 (① 　　　　). 목욕탕에서 머리를 (② 　　　　)고 샤워를 (③ 　　　　). 그리고 미카에게 피자 토스트와 과일을 먹였다. 아침을 다 먹인 다음, 미카 스스로 이를 닦게 했다.

오늘 운동회에서 미카는 홍팀이다. 체육복을 입히고 빨간 모자를 (④ 　　　　). 운동화를 (⑤ 　　　　)고 자전거에 미카를 (⑥ 　　　　)다. 유치원에 가다가 편의점에 들러서 미카가 좋아하는 과자와 음료수를 샀다.

유치원에 도착하자마자 정면에 붙어 있는 안내문에 따라 홍팀 자리에 미카를 (⑦ 　　　　). 날씨가 좋아서 정말 다행이었다.

유토 씨의 하루

유토 씨는 늦잠을 잤다. 10시에 에노시마에서 여자 친구와 데이트를 하기로 했는데 9시에 일어난 것이다. 이번에 지각하면 여자친구와 헤어질지도 모른다는 생각에 어떻게든지 제시간에 가려고 서둘렀다.

커피를 급히 마시던 유토 씨는 커피가 콧구멍에 들어갈 뻔했다. 면도를 하다가 턱에 상처도 날 뻔했고, 드라이어로 머리를 말리다가 머리카락을 태울 뻔하기도 했다. 또 급하게 옷을 입다가 옷을 뒤집어 입기도 하고, 주차장으로 뛰어가다가는 넘어질 뻔하기도 했다. 운전하다가 두 번이나 다른 차와 부딪칠 뻔하기도 했다.

유토 씨가 에노시마에 도착한 것은 10시 10분 전이었다. 다행히 늦지는 않았다. 에노시마에서 유토 씨는 여자 친구와 같이 수족관에 갔다. 유토 씨는 사진을 찍으려고 휴대폰을 꺼내다가 새로 산 휴대폰을 떨어뜨릴 뻔했다. 그리고 수족관의 돌고래 쇼를 찍다가 뒤로 넘어질 뻔하기도 했다. 그래도 돌고래 사진은 무사했다.

수족관에서 나온 유토 씨는 여자 친구와 점심을 먹고 바닷가를 산책했다. 바닷물 속에 들어갔다가 해파리한테 물릴 뻔했다.

① ____________________

② ____________________

유토 씨는 오늘 몇 번이나 큰일날 뻔했다. 여자친구와 약속을 지키느라 피곤한 하루였다.

☆☆☆☆☆☆☆☆☆☆☆☆☆☆☆☆☆☆☆☆☆☆☆☆☆☆☆☆☆☆

늦잠 寝坊　지각 遅刻　콧구멍 鼻の穴　면도를 하다 ひげをそる　턱 顎
태우다 燃やす　뒤집다 ひっくり返す　부딪치다 ぶつかる　돌고래 イルカ
해파리 クラゲ　물리다 噛まれる

1. 本文の日本語訳をしてみよう。

悠斗さんの一日

2. 本文の内容と一致するものは○、一致しないものは×をしよう。

① 유토는 여자 친구와 에노시마에서 데이트를 했다. (　　)

② 유토는 면도를 하다가 턱에 상처가 났다.(　　)

③ 유토는 두 번이나 자동차와 부딪치는 교통사고를 냈다. (　　)

④ 유토의 새 휴대폰은 다행히 안 깨졌다. (　　)

⑤ 유토는 사진을 찍다가 넘어져서 돌고래 쇼 사진을 못 찍었다. (　　)

⑥ 유토는 약속을 못 지켜서 여자 친구와 헤어졌다.(　　)

3. 본문의 ①②에 〈~다가, ~을 뻔하다〉를 넣어 이야기를 완성하고 친구들과 이야기해 보세요.

①

②

活動：쓰기×말하기

여러분은 동물을 키워 본 적이 있습니까?

(1) 지금 키우거나 키운 적이 있다면 어떤 점이 좋(았)고 어떤 점이 불편한(했는)지 친구들과 이야기해 보세요.

반려 동물을 키웠어요(지금 키워요)	
반려동물 종류 :	반려동물 이름 :
좋았던(좋은) 점	불편했던(한) 점
• • •	• • •

(2) 만일 키워 본 적이 없다면 어떤 동물을 키우고 싶습니까?

예 강아지, 고양이, 다람쥐, 토끼, 햄스터, 열대어 등

반려 동물을 키우고 싶어요	
어떤 동물을 키우고 싶어요?	
이름은 어떻게 지을 거예요?	
키우고 싶은 이유는?	• •

(3) 동물을 키우고 싶지 않다면 그 이유는 뭐예요?

반려 동물을 키우고 싶지 않아요	
왜 키우고 싶지 않아요? 그 이유나 경험 등을 말해 보세요	• • • •

活動：듣기

35

1. 무엇에 대한 이야기입니까? (   )

   ① 비싼 반려동물

   ② 먹이가 까다로운 반려동물

   ③ 키우기 쉬운 반려동물

2. 반려동물을 키우는 것과 관련하여 나오지 않은 내용은 무엇입니까? (   )

   ① 먹이　　② 잠잘 곳　　③ 배변　　④ 산책

3. 하늘다람쥐와 관련하여 내용과 맞으면 O, 틀리면 X하세요.

   ① 아이큐가 높다. (   )

   ② 애교가 없어서 조용하다. (   )

   ③ 야행성이다. (   )

   ④ 산책을 시켜야 한다. (   )

韓国語チャットルーム

〈韓国のことわざ　動物関連〉

원숭이도 나무에서 떨어진다	サルも木から落ちる
호랑이도 제 말하면 온다	噂をすれば影
우물 안 개구리	井戸の中の蛙
새발의 피	雀の涙
지렁이도 밟으면 꿈틀한다	一寸の虫にも五分の魂
낮말은 새가 듣고 밤말은 쥐가 듣는다	壁に耳あり障子に目あり
고래 싸움에 새우 등 터진다	側杖を食う
꿩 먹고 알 먹는다	一石二鳥
소 귀에 경 읽기	牛耳に念仏
발 없는 말이 천 리 간다	悪事千里を走る

동물

원숭이：サル　개구리：カエル　호랑이：トラ　지렁이：ミミズ

쥐：ネズミ　고래：クジラ　새우：エビ　꿩：キジ　소：牛

말 ：馬

評価

✔ Self Check　☆☆☆☆☆

✔ Group Check　☆☆☆☆☆

제9과 아직 기침도 하고 열도 다 안 내려가서요.

病院で自分の症状を伝えてみよう。

36 **会話1** 감기에 걸려서

리나 : 지난번 감기는 다 나았어? 아직도 얼굴이 좀 핼쑥해 보이네.

보라 : 응, 좀 나아지긴 했는데, 아직 기침도 하고 열도 좀 남아 있어.

리나 : 그렇구나. 병원은 갔다 왔어? 약은?

보라 : 병원에 가서 진찰도 받고 약도 타 왔는데, 내가 내 증상을 일본어로 제대로 설명하지 못한 건지 약이 잘 안 듣네.

리나 : 그래? 신오쿠보에 가면 한국어가 통하는 병원도 있다던데. 내가 아는 다른 한국 친구들은 다 거기 다닌대.

보라 : 그래? 난 들어 본 적 없는데…. 지금이라도 한번 가 볼까?

리나 : 응, 한번 가 봐. 여기 병원 이름이랑 약도야. 전화번호도 있어. 한국 유학생이라면 누구나 다 아는 줄 알았는데 꼭 그런 건 아닌가 보구나!

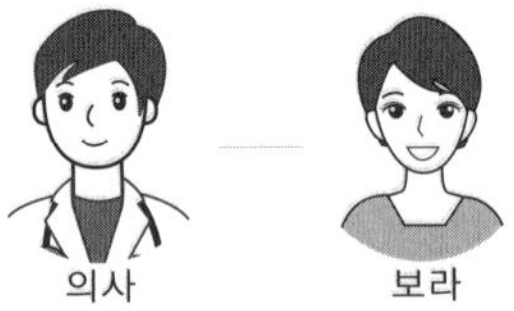

37 **会話2** 병원에서

의사 : 한국 분이세요? 어디가 아파서 오셨어요?

보라 : 지난번에 몸살이 심하게 걸렸는데 약을 먹어도 잘 안 나아서요.

의사 : 잠깐 목 안을 좀 볼게요. 아 해 보세요. 아이구 저런…, 아직도 편도선이 많이 부어 있네요. 많이 아프시겠어요.

보라 : 네, 맞아요. 침을 삼킬 때마다 굉장히 목이 아파요.

의사 : 콧물이나 가래는 괜찮나요?

보라 : 네. 아침에 일어나면 콧물도 좀 나고 그러는데, 평소에는 괜찮아요.

의사 : 그러시군요. 그럼 제가 처방전을 써 드릴 테니까 약국에 가서 약 타서 잘 챙겨 드세요. 그리고 몸은 항상 따뜻하게 하시고요. 한 이삼일 정도 약 먹고 나면 금방 나을 거예요. 이번에 약 먹고도 병세에 호전이 없으면 병원에 다시 오세요.

内容チェック

会話1と2の内容と一致するものは○、一致しないものは×をしよう。

❶ 보라는 제일 처음에 신오쿠보에 있는 병원에 갔다. (　　)

❷ 보라는 병원에만 가고 약은 먹지 않았다. (　　)

❸ 리나가 보라한테 병원을 소개해 줬다. (　　)

❹ 의사 선생님은 보라에게 바로 다음날에도 병원에 오라고 했다. (　　)

単語

낫다	動	治る	핼쑥하다	形	やつれている
진찰	名	診察	제대로	名	まともに
증상	名	症状	처방전	名	処方箋
약도	名	略図	몸살	名	疲労からの病気
편도선	名	扁桃腺	붓다	動	腫れる、浮腫む
침	名	よだれ、つば	콧물	名	鼻水
가래	名	痰	평소	名	平素、普段
병세	名	病勢、病状	호전	名	好転

表現

약을 타다	薬をもらう	약이 듣다	薬が効く
침을 삼키다	唾を飲み込む	약을 잘 챙겨 먹다	欠かさずに薬をちゃんと飲む

練習問題1(語彙)

처방전　　편도선　　약도　　콧물　　제대로　　진찰

(1) 무슨 병이든 초기에 (　　　　) 치료하지 않으면 나중에 고생한다.

(2) 목감기 때문에 (　　　　)이 부어서 물도 잘 먹지 못해 힘들었다.

(3) 감기약 정도는 (　　　　)이 없어도 편의점에서 살 수 있어요.

(4) 친구가 길을 잘 모른다고 해서 (　　　　)를 그려서 설명했다.

✪ 病状にあわせた診察科を選び、例のような会話を作ってみよう。

⑴ 밥을 너무 급하게 먹어서 체했다.	•————•	내과
⑵ 계단을 내려가다가 넘어져서 다리를 삐었다.	•	•안과
⑶ 렌즈를 끼고 자서 눈이 충혈됐다.	•	•정형외과
⑷ 잇몸이 붓고 피가 난다.	•	•피부과
⑸ 얼굴에 자꾸 뭐가 난다.	•	•치과
⑹ 축농증 때문에 코가 막히고 답답하다.	•	•이비인후과

例 ① 내과

A：어디 가세요?

B：병원엘 좀 가요.

A：왜요? 어디 아프세요?

B：밥을 너무 급하게 먹고 체해서요. 그래서 내과에 좀 가려고요.

ディクテーションの練習

38

① ________________

② ________________

③ ________________

④ ________________

文法

1. 動・形＋던데
動・形＋었던데/았던데/였던데

解説 回想法。話し手が過去の直接な体験から分かった事柄を、今聞き手に伝えるときに使う。接続語尾としても終結語尾としても使うことができる。

注意1 ただの過去形は過去の事柄を単に事実として述べるだけであるが、この回想法は話し手の実体験の過去を述べるので、臨場感のある過去とも言える。

注意2 話し手の体験を述べるので、原則として1人称主語はできない。

注意3 第1課の「－더라(고요)」とは異なり、接続語尾として使える。そのため、終結語尾として文を締めくくるときにも、何か付け加えたいことがあるようなニュアンスになるのである。

例 선생님께서 아까 너 **찾으시던데** 빨리 가 봐.
아까는 교실에 아무도 안 **왔던데** 지금은 왔으려나?
역 앞에 새로 생긴 가게에 어제 가 봤는데 정말 **맛있던데요**.
콘서트에 가 보니까 정말 노래를 **잘하던데요**.
조금 전에 가 보니까 촬영은 이미 다 **끝났던데요**.

2. 動・形の連体形＋줄 알았다[몰랐다]

解説 思っていることが実際と異なることに気づいたときに使われる。事柄が起こる時点によって、連体形の形は「未来・未来(＋을/ㄹ)」か「現在・進行(＋는, 은/ㄴ)」か「過去・完了(＋은/ㄴ)」と変わって来る。

注意1 最後のところが「알았다・몰랐다」のような過去形にすること。

注意2 「－을/ㄹ 줄 알다・모르다」と混同しないこと。

例 이번 시험은 잘 **본 줄 알았는데**….
직접 살아 보기 전까지는 서울이 이렇게 **추운 줄은** 정말 **몰랐어요**.
보라 씨가 벌써 왔어요? 전 내일 **돌아올 줄 알았는데**.
한국어는 언제 배우셨어요? 전 다나카 씨가 그렇게 한국어를 **잘하시는 줄은 몰랐어요**.

3. 動・形＋고도

解説 ①先行行為の完了によって予想された結果とは異なる他の行為や状況が続いていることを表す。

例 그는 뻔뻔스럽게도 **거짓말을 하고도** 하지 않았다고 우기고만 있다.

자기가 **잘못을 하고도** 되려 화를 내는 건 뭐예요?

수업 시간에 **졸고도** 안 잤다고 발뺌이다.

②ある事実や状態を表しながら、続いてそれと関連した特性を付け加える。

例 **슬프고도** 아름다운 우리들의 지난 사랑 이야기.

바다는 참 **넓고도** 깊다.

그 사람의 아이디어는 참 **독특하고도** 참신하다.

練習問題2(文法)

1.「–던데요」を使って文を完成させ、日本語訳をしてみよう。

(1) 제가 지난 여름에 대만에 가 봤는데 ______________________________

日本語訳: ______________________________

(2) 그 영화 제가 어제 봤는데 ______________________________

日本語訳: ______________________________

(3) 아까 학교 오는 길에 미희 씨를 만났는데 ______________________________

日本語訳: ______________________________

(4) 어제 신오쿠보에 가서 저녁을 먹었는데 ______________________________

日本語訳: ______________________________

(5) 지난번에 유토 씨랑 테니스를 같이 쳤는데 ______________________________

日本語訳: ______________________________

2. 自分の予想と異なる結果を述べてみよう。

예상	결과
(1) 시험에 붙을 것이라고 생각했다	떨어졌다
➜ 시험에 붙을 줄 알았는데 떨어졌다.	
(2) 오후에 비가 올 것이라고 생각했다	맑게 개었다
➜	
(3) 지갑에 돈이 있다고 생각했다	막상 열어 보니 없었다
➜	
(4) 학교까지 이렇게 멀다고 생각하지 못했다	실제로 다녀 보니 멀었다
➜	
(5) 수업이 있다고 생각하지 못했다	수업이 있었다고 한다
➜	
(6) 이렇게 크게 성공할 것이라고 생각하지 못했다	고생 끝에 결국 성공했다
➜	

3. (a)と(b)を繋いで(c)の欄に「-고도」を使った文を書いてみよう。

	(a)	(b)
(1)	슬프다 ·	· 연락도 없이 가시다니 섭섭해요.
(2)	거짓말을 하다 ·	· 아름다운 이야기를 들었다.
(3)	저희 집 근처까지 오시다 ·	· 미안하다는 말 한마디 하지 않는다.
(4)	돈을 주다 ·	· 살 수 없는 경험을 했다.
(5)	약속 시간에 늦다 ·	· 그런 적 없다고 벅벅 우긴다.

(c)

(1) 슬프**고도** 아름다운 이야기를 들었다.

(2) ______________________________

(3) ______________________________

(4) ______________________________

(5) ______________________________

活動：듣기×말하기

39

1. 会話の内容と一致すれば○、間違っていれば×をしよう。

⑴ 이 사람은 병원에서 처방전을 받아서 왔다. (　　)

⑵ 이 약은 밥을 먹기 전에 복용해야 한다. (　　)

⑶ 점심에 먹은 것이 잘못돼서 약국을 찾았다. (　　)

⑷ 이 약은 편의점에 가서 살 수도 있다. (　　)

2. 次の質問に答えなさい。

⑴ 이 사람의 증상에 대하여 설명하시오.

⑵ 이 약의 복용 방법에 대하여 설명하시오.

① 복용 횟수 :

② 복용 시기 :

③ 1회 복용량 :

⑶ 이 약의 대표적인 부작용은 무엇인가?

⑷ 부작용이 나타날 경우에는 어떻게 해야 하나?

3. 친구들이랑 평소 건강을 위해서 무엇을 실천하고 있는지 서로 이야기해 봅시다.

評価

✔ Self Check　☆☆☆☆☆

✔ Group Check　☆☆☆☆☆

講読資料3

한국어는 왜 띄어쓰기를 할까?

한국어를 배우는 일본인 학습자가 글을 쓸 때 어려워하는 것 중에 하나가 바로 '띄어쓰기'다. 한자와 가나, 그것도 히라가나와 가타카나 모두를 섞어 쓰는 일본어의 문자 체계에서는 각기 다른 문자가 단어의 경계를 구별하는 기준이 된다. 이와는 달리 현재 한국에서는 한글 전용을 채택하고 있기 때문에 적절하게 띄어 쓰지 않으면 글의 뜻이 왜곡되거나 심지어 그 글을 읽는 독자가 전혀 이해를 못하게 되고 만다. 예를 들어, '엄마나물주세요'는 어떻게 띄어 쓰느냐에 따라 '엄마 나물 주세요'와 같이 어머니한테 나물을 달라는 뜻이 되기도 하고 '엄마 나 물 주세요' 와 같이 어머니한테 물을 달라는 뜻이 되기도 한다. 일본어의 경우에는 'ママお水/ナムルください'와 같이 세 가지 문자를 섞어 쓰기 때문에 띄어 쓰지 않아도 그 의미를 명확히 알 수 있다. 이는 한국어와 같이 로마자만 쓰면서 띄어쓰기를 하고 있는 영어 문장을 생각해 보면 이해하기 쉬울 것이다.

그렇다면 한국어에서 띄어쓰기는 어떻게 하면 되는가? 〈한글 맞춤법〉의 제2항의 규정을 보면 '문장의 각 단어는 띄어 씀을 원칙으로 한다.' 와 같이 되어 있다. 즉, 단어와 단어 사이는 띄어 쓰고, 하나의 단어이면 붙여 쓰라는 것이다. 간단하다. 사실 복잡하고 어려울 것 하나도 없다. 단, 여기서 단어가 무엇인가 하는 것이 아주 어려운 언어학적 주제이기는 하지만, 일단 '하나의 뜻을 가져 자립적으로 쓸 수 있는 말의 최소 단위' 정도로 이해하면 될 것이다.

덧붙이자면, 동사나 형용사의 한 부분인 어미와는 달리 조사의 경우에는 단어로 취급하지만 앞선 명사에 붙여 쓴다. 이는 조사만으로는 단독으로 자립해서 쓰일 수 없다는 점을 고려한 것이다. 즉, 예를 들어 '은, 는, 이, 가'와 같은 조사만으로는 무엇을 이야기하고자 하는지 알 수 없어 실질적인 의사소통의 단위로는 쓰일 수 없다는 것이다.

제10과 과거로 돌아가 운명을 바꿀 수 있다면

友達と思い出話をしてみよう。

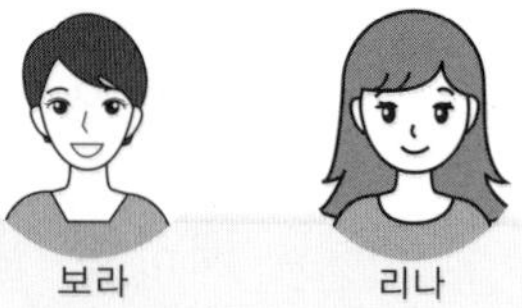

보라 리나

40 **会話1** 카페에서

보라 : 만일 과거로 돌아가서 운명을 바꿀 수 있다면 언제로 가고 싶어?

리나 : 나는 초등학교 3학년 때로 돌아가고 싶어. 그때 소풍을 갔다가 돌에 걸려 넘어졌거든. 그래서 아직도 다리에 큰 흉터가 있어. 그 날로 다시 돌아갈 수 있다면 꾀병을 핑계로 집에 있을 거야.

보라 : 나는 사실 작년에 남자 친구하고 싸우고 헤어졌거든. 내가 문자를 보냈는데 남자 친구가 답을 안 하는 거야. 그래서 내가 막 화를 냈는데 도리어 걔가 나한테 심한 말을 하더라. 그래서 상처를 많이 받았지. 내가 좀 참을 걸 그랬나? 가끔씩 후회가 되기도 해.

리나 : 너 혹시 실연당해서 일본에 온 거니?

보라 : 뭐... 꼭 그런 건 아닌데... 어느 정도는 관련이 있을지도 모르지.

리나 : 참! 너 지난 번에 나한테도 문자 안 본다고 화냈지? 그거 완전 습관이네.

보라 : 미안 미안. 알았어. 아, 이 노래! 남자 친구랑 데이트할 때 가끔 같이 들었던 음악인데. 아, 오늘따라 왜 이렇게 센티멘털해지는 거지?

보라 리나

41 **会話2** 친구의 자취방에서

보라 : 이상한 소리 들리지 않니?

리나 : 비 오는 소리겠지. 신경 쓰지 마.

보라 : 아니야…, 옆집 현관문이 살짝 열리고 바로 닫히는 소리가 들렸어. 그리고 그 다음에 발자국 소리가 난 것 같아.

리나 : 그럼 혹시 옆집에 도둑이 들어온 건가? 어떡하지! 창문이랑 문이 잘 잠겼는지 확인해 보자.

보라 : 무서워…. 뭐 보이는 거 없어?

리나 : 커튼 때문에 잘 안 보이는데…. 아. 검은 그림자가 보인다!

보라 : 뭐? 도둑? 경찰에 신고할까? 손이 덜덜 떨려서 번호가 안 눌러져.

리나 : 잠깐! 뭐야? 고양이잖아. (야---옹)

内容チェック

会話1と2の内容と一致するものは○、一致しないものは×をしよう。

❶ 리나는 초등학교 때 꾀병을 부리다가 다쳤다. (　　)

❷ 보라는 작년에 남자 친구하고 헤어졌는데 지금 후회한다.(　　)

❸ 검은 그림자는 도둑이 아니라 고양이였다. (　　)

❹ 옆집에서 이상한 소리가 들려서 경찰에 신고했다. (　　)

単語

만일	副	もし、万が一	이유	名	理由
과거	名	過去	포함	名	包含
운명	名	運命	습관	名	習慣
바꾸다	動	変える	가끔	副	たまに
소풍	名	遠足	센티멘털하다	形	センチメンタルだ
돌	名	石	들리다	動	聞こえる
걸리다	動	かかる	현관	名	玄関
넘어지다	動	こける、倒れる	살짝	副	そっと
무릎	名	膝	열리다	動	開く
흉터	名	傷跡	닫히다	動	閉まる
남다	動	残る	발자국	名	足跡
꾀병	名	仮病	잠기다	動	閉ざされる
핑계	名	言い訳、口実	무섭다	形	怖い、恐ろしい
싸우다	動	喧嘩する	검다	形	黒い
헤어지다	動	別れる	그림자	名	影
막	副	むやみに、やたらに	신고하다	動	通報する、申告する
참다	動	我慢する、耐える	덜덜	副	ぶるぶる
후회되다	動	悔やまれる	떨리다	動	震える、おびえる
혹시	副	もしかして	눌러지다	動	押せる
실연	名	失恋	당하다	動	やられる

表現

상처를 받다	傷を負う、傷つく	신경을 쓰다	気にかける

練習問題1(語彙)

의심받다	핑계	떨리다	눌러지다	실연당하다
비난받다	해고당하다	회복되다		

⑴ 가 : 자동판매기 버튼이 안 ____________ 요.

나 : 고장 났나 봐요.

⑵ 가 : 보라 씨가 요즘 힘이 없어 보여요. 지난주까지 남자 친구가 생겼다고 좋아했는데요.

나 : ____________________ 나 봐요. 혼자 다니더라고요.

⑶ 가 : 경제가 어려워져서 사람들이 많이 ____________________________ 대요.

나 : 빨리 경기가 ____________________ 어야 할 텐데 걱정이에요.

⑷ 가 : 경찰차가 옆집에 서 있네요.

나 : 네. 옆집 아저씨가 범인으로 ____________ 고 있나 봐요.

⑸ 가 : 요즘 정치인들이 공사를 구별 못 해서 __________ 는 뉴스가 많네요.

나 : 그러게요. 초등학생들도 공사 정도는 구별할 줄 아는데 말이죠.

⑹ 가 : 오늘은 왜 또 늦었어? 지난번엔 늦잠 잤다고 했고, 오늘 ____________ 는 또 뭐야?

나 : 갑자기 엄마가 입원하셔서요. 이번에는 진짜예요. 거짓말이 아니니까 믿어 주세요.

⑺ 그는 긴장하여 ____________ 손가락으로 피아노 연주를 시작했다.

ディクテーションの練習

42

①

②

③

④

文法

1. 피동표현(受け身)

解説 行為の対象となる事物を主語とする表現である。一般的な能動文に対し、受身の表現を用いる動機付けとして以下のようなものが必要となる。

① 行為者に焦点が当たられないようにする(defocusing of A)。

a. 行為者の正体が分からない際、表現できない。

b. 行為者の正体を(知っていながら)明らかにしたくない。

例 누군가 카이사르를 암살했다. → 카이사르가 암살당했다.

「誰かがカエサルを暗殺した。→　カエサルが暗殺された。」

② 被動者を目立たせる(focusing of O)。

a. (行為者の代わりに)被動者の観点から事態を記述する。

例 브루투스가 카이사르를 암살했다. → 카이사르가 브루투스에게 암살당했다.

「ブルータスがカエサルを暗殺した。→　カエサルがブルータスに暗殺された。」

b. 話題の連続性(topic continuity)を保たせる。

例 **철수는** 아침에 일어나서 밥을 먹고 학교로 향했다. **철수는** 길을 건너다가 차에 치였다. **철수는** 병원으로 실려 갔다.

「チョルスは朝起きてご飯を食べて学校に向かった。チョルスは道を渡る途中で車に引かれた。チョルスは病院に運ばれた。」

能動文から受動文への転換方法

a. 動詞に受け身の標識を付ける。

b. 能動文の主語(S)を斜格に降格(demotion)させるか、無くす。

c. 能動文の目的語(O)を主語に昇格(promotion)させる。

能動文：코난−이　　범인−을　　잡았다.

主語　　　目的語　　　述語

主語　　　付加語　　　述語

受動文：범인−이 코난−에게 잡−히−었다.

1-1. 受身接辞「−이, 히, 리, 기−」が使われる場合

受身接辞	動詞	受身動詞	受身接辞	動詞	受身動詞
−이−	보다	보이다	−리−	팔다	팔리다
	쓰다	쓰이다		물다	물리다
	놓다	놓이다		밀다	밀리다
	쌓다	쌓이다		풀다	풀리다
	섞다	섞이다		열다	열리다
	깎다	깎이다		걸다	걸리다
	바꾸다	바뀌다		듣다	들리다
	덮다	덮이다		떨다	떨리다
−기−	안다	안기다	−히−	먹다	먹히다
	씻다	씻기다		읽다	읽히다
	감다	감기다		잡다	잡히다
	찢다	찢기다		밟다	밟히다
	쫓다	쫓기다		막다	막히다
	끊다	끊기다		닫다	닫히다

例 내 신발과 친구 신발을 바꿨다. ➜ **受け身** 내 신발과 친구 신발이 바뀌었다.

(靴と友達の靴を替えた ➜ 私の靴と友達の靴が変わった。)

전차 안에서 누가 내 발을 밟았다. ➜ **受け身** 전차 안에서 발이 밟혔다.

(電車の中で誰かが私の足を踏んだ ➜ 電車の中で誰かに足を踏まれた。)

강아지가 나를 물었다. ➜ **受け身** 강아지한테 물렸다.

(子犬が私をかみついた ➜ **受け身** 子犬にかまれた。)

친구가 연락을 끊었다. ➜ 受け身 친구에게서 연락이 **끊겼다**.

(友達が連絡を絶った ➜ 友達から連絡が途絶えた。)

1-2. 補助用言の「-아/어/여지다」

動＋아/어/여지다

解説 一部の動詞に「-아/어/여지다」を付けて受け身となる。日本語の「~れる(られる)」表現に当てはまる。

例 그 사람이 범인이라니.**믿어지지** 않는다.

(あの人が犯人だなんて信じられない。)

디즈니캐릭터들은 언제 **만들어진** 거예요?

(ディズニーキャラクタはいつ作られたんですか。)

1-3. 名＋되다, 받다, 당하다

名＋되다

解説 名詞に「하다」が付いた動詞の場合、多くはこの形の受身形となる。

例 캐시리스가 **도입된** 후, 달라진 점이 있어요?

(キャッシュレスが導入されてから、変わったことはありますか。)

그 영화는 일본에서 아직 **상영되지** 않았다.

(その映画は日本でまだ上映されていない。)

名＋받다

解説 人と人の間のやり取りの場合によく使われる。

例 나는 부모님께 많은 **사랑을 받고** 자랐다.

(私は両親に愛されて育てられた。)

의심받을 일은 하지 않는 게 좋아요.

(疑われるようなことはしないほうがいいです。)

名＋당하다

解説 ありがたくない行為を受ける場合に使われる。

例 이번 프로젝트에 필요한 번역을 부탁했는데 **거절당했어요**.

(今回のプロジェクトに必要な翻訳を頼んだが断られました。)

차별당하는 기분을 아세요?

(差別される気持ちを知っていますか。)

練習問題2(文法)

1. 文脈に合わせて、会話文を完成してみよう。

⑴ 가 : 밤새 눈이 많이 와서 눈이 3센티미터나 (쌓다)__________ 네요.

나 : 눈이 녹아서 얼기 전에 빨리 눈을 치워야겠어요.

⑵ 가 : 오늘 술 한잔 할까요?

나 : 시간이 없어요. 오늘밤까지 과제를 내야 해서 지금 시간에 (쫓다)__________ 고 있어요. 오늘 밤새야 될 것 같아요.

⑶ 가 : 왜 그래? 어디 가려워?

나 : 응, 어제 모기한테 (물다)__________ 서 너무 가려워.

⑷ 가 : 오늘은 왜 또 늦었어?

나 : 교통사고가 났는지 길이 (막다)__________ 서 차가 안 움직였어요.

⑸ 가 : 수험번호 27번! 준비하세요.

나 : 아…너무 (떨다)__________ ! 어떡해.

⑹ 가 : 저기 좀 앉아 주시겠어요? 퍼레이드가 안 (보다)__________ 잖아요.

나 : 잠깐만요. 사진 한 장만 찍고 앉을게요.

⑺ 가 : 짐을 보내야 하는데 어디에서 보내는 게 빨라요?

나 : 지금은 우체국 문이 (닫다)__________ 니까 편의점에서 보내세요.

(8) 가 : 안경이 이상해. 앞이 잘 안 보여.

나 : 안경테가 비슷해서 내 안경하고 (바꾸다)＿＿＿＿＿＿＿＿＿＿ 었나 보네.

(9) 가 : 요즘에 유토 씨 안색이 안 좋은 것 같던데 무슨 일 있대요?

나 : 부모님하고 싸워서 용돈이 (끊기다)＿＿＿＿＿＿＿＿＿＿ 대요.

그래서 여기저기 아르바이트 면접 보러 다닌다던데요.

2. 動＋거든(요)

解説 相手は知らないと思われる内容を教える時に使う。理由を付け加える時によく使われる。

関連表現 動・形＋잖아(요)：話し手も聞き手もどちらも知っているはずだと思われることに対して使われる。(第1課参考)

例 (1) 제가 요즘 아침마다 수영을 **하거든요**. 그런데 오늘은 아침에 늦잠을 자서 못 갔어요.

(2) 우산 잊지 마세요. 일기예보에서 오후에 비가 온다고 **했거든요**.

(3) 가 : 무슨 음식을 그렇게 많이 샀어?

나 : 응, 우리 집에서 오늘 파티를 **하거든**.

3. 動＋으려면/려면

解説 ある行為の意図や目的を仮定して述べる時に使う。また、これから行われることを仮定して、それのための必要条件や状況を提示する。日本語の「～するには」表現に当てはまる。

類似表現 動＋기 위해서는

補足 その後ろには、当為・義務の「−어야/아야/여야 하다」や命令形がよく来る。

例 (1) 가 : 사진이 잘 나오게 **찍으려면** 어떻게 해야 돼요?

나 : 사진이 예쁘게 나오는 앱을 까세요. 찍는 각도도 중요해요.

⑵ 가 : 장학금을 **받으려면** 어떻게 해야 하나요?

나 : 우선 학생과에 가서 상담을 한 후에 신청하세요.

⑶ 가 : 서울은 3월인데도 아직도 날씨가 많이 춥네요.

나 : 네, 맞아요. **따뜻해지려면** 4월은 돼야 해요.

⑷ 밥이 다 **되려면** 조금 더 있어야 되겠어요.

練習問題3(文法)

1. 文脈に合わせて、会話文を完成してみよう。

⑴ 가 : 오늘은 평소보다 일찍 오셨네요.

나 : 네, ______________________________.

⑵ 가 : 요즘 미카 씨가 동아리에 잘 안 오네요.

나 : 네, 미카 씨가 요즘 ______________________________.

⑶ 가 : 얼굴색이 좋아 보이네요.

나 : 네, ______________________________.

⑷ 가 : 무슨 자격증을 그렇게 많이 땄어요?

나 : 한국에서는 취직하기 위해서는 ______________________________.

⑸ 가 : 미키마우스 인형을 많이 사셨네요.

나 : 네, ______________________________.

⑹ 가 : 왜 그렇게 서두르세요? 집에 무슨 일 있으세요?

나 : 네. ______________________________.

2. 例のように二つの文を繋ぎ、日本語訳をしてみよう。

> 例 다이어트에 성공하고 싶어요. 그러면 본인의 의지가 제일 중요합니다.
>
> ➜ 다이어트에 **성공하려면** 본인의 의지가 제일 중요합니다.
>
> **日本語訳**：ダイエットに成功するには本人の意思が最も重要です。

⑴ KTX표를 사고 싶어요. 그러면 어디로 가야 하나요?

➜ ______________________________

日本語訳：______________________________

⑵ 12시 기차를 타고 싶어요. 그러면 서둘러야 해요.

➜ ______________________________

日本語訳：______________________________

⑶ 글을 잘 쓰고 싶어요. 그러면 먼저 좋은 책을 많이 읽어야 해요.

➜ ______________________________

日本語訳：______________________________

⑷ 오늘 중으로 이 일을 다 끝내고 싶어. 그러면 서둘러야 해.

➜ ______________________________

日本語訳：______________________________

⑸ 한국에서 좋은 회사에 취직하고 싶어요. 그러면 시험 준비뿐만 아니라 자격증이나 인턴십 등도 다 갖추어야 한대요

➜ ______________________________

日本語訳：______________________________

한국의 국보 제1호인 숭례문은 서울특별시 중구 남대문로에 있는 옛 도성의 남쪽 정문으로, 1395년에서 1398년에 걸쳐 지어졌다. 현재의 숭례문은 2008년의 방화 사건 이후 새로 복원된 것이다.

숭례문 화재 사건은 2008년 2월 10일부터 2월 11일에 걸쳐 발생한 방화 사건을 가리킨다. 방화자인 채 모 씨는 당일 오후 8시 47분경 숭례문 서쪽 문루의 담장에 사다리를 대고 넘어가 2층 누각에 침입하여 불을 질렀다. 오후 8시 50분경 주변 도로를 지나던 택시 기사가 숭례문 2층 누각 왼쪽에서 연기가 나는 것을 목격하고 119에 처음으로 신고하였다. 화재 직후인 8시 53분경 소방차들이 현장에 속속 도착하였고, 소방관들이 누각으로 진입하여 진화를 시도하였으나 다음날 2월 11일 오전 1시 56분에 2층 문루가 붕괴되고 말았다.

숭례문 화재는 토지 보상 문제에 불만을 품은 한 노인의 방화에서 비롯되었다. 화재 현장에서 바로 잡힌 채 모 씨는 2006년 4월에도 같은 동기로 창경궁을 방화했던 것으로 드러났다. 당시 창경궁에 400만원 상당의 피해를 입혀 집행유예를 받았다고 한다. 결국 이번 사건으로 인해 채 씨는 징역 10년을 선고받았다.

문화재청은 2013년 4월 29일에 5년에 걸친 복원 사업을 마쳤으며, 2013년 5월 4일에 완공식과 함께 복원된 숭례문을 일반 시민들에게 공개했다. 숭례문 화재는 한국 사회의 〈문화재 관리 체계의 허점〉을 지적해 주었다. 먼저 사회와 자연의 변화에 대한 대응이 부족하고, 국가 지정 문화재의 관리 체계가 이원화되어 효율적인 관리가 이루어지지 못했으며, 방재 업무의 전담 인력이 절대적으로 부족한 현실이 고스란히 드러났다.

숭례문 崇礼門　국보 国宝　도성 都城　방화 放火　사건 事件
사다리 はしご　문루 門楼　담장 塀　대다 当てる　넘어가다 超える
누각 楼閣　침입 侵入　불을 지르다 火をつける　연기 煙　목격 目撃
신고 通報　소방관 消防士　화재 火災　직후 直後　현장 現場　진입 進入
진화 鎮火　붕괴 崩壊　보상 補償　불만 不満　비롯되다 由来する
집행유예 執行猶予　방재 防災
고스란히 そっくりそのまま、余すところなく

1. 무엇에 대한 글입니까? (　　)

① 숭례문의 역사적 의미

② 숭례문의 문화재적 가치

③ 숭례문 화재 사건

④ 숭례문의 복원 방법

2. 다음 중 내용과 일치하는 것을 고르세요.(　　)

① 숭례문은 옛 도성의 서쪽 정문이다.

② 채 모 씨는 창경궁에도 방화한 적이 있다.

③ 숭례문은 택시 기사가 방화하였다.

④ 숭례문은 화재 이후 지금까지 일반 공개가 금지되어 있다.

3. 윗글에서 〈**문화재 관리 체계의 허점**〉과 관련이 없는 것은 무엇입니까?(　　)

① 방재 전담 인력이 충분했다.

② 자연적 변화에 대한 대응이 느렸다.

③ 문화재를 관리하는 부서가 두 개였다.

4. 여러분의 나라에서도 중요한 문화재가 소실된 일이 있습니까? ①소실된 문화재의 경위를 살펴보고, ②어떻게 하면 그 사건을 막을 수 있었을지 친구와 같이 이야기해 봅시다.

MEMO

活動 : 쓰기× 말하기

여러분이 백투더 퓨처(バック・トゥ・ザ・フューチャー)의 주인공이 된다면 몇 년 전으로 돌아가고 싶습니까? 친구와 함께 이유와 할 일에 대해서 이야기해 보고 써 보세요.

〈나의 백투더 퓨처〉
〈시간을 몇 년 몇 월 며칠로 설정할까?〉
〈왜 그날인지 이유와 사건 경위를 말해봅시다〉 ❀이유 :
❀사건 경위
〈그렇다면 어떻게 바꿀 것인가〉
〈현재로 돌아왔을 때 변한 나의 모습은?〉

活動：듣기

43

1. 무엇에 대한 이야기입니까?

---

2. 会話の内容と一致すれば○、間違っていれば×をしよう。

① 리나는 보라를 위해서 면접관이 되어 면접 연습을 시켰다.(　　)

② 보라는 지하철에서 사람들의 발을 밟았다.(　　)

③ 보라는 좌절을 경험한 적이 없다.(　　)

④ 리나는 내일 화장품을 선물로 받을 것이다.(　　)

3. 보라는 스트레스가 쌓이면 어떻게 됩니까? (　　)

① 질문을 많이 한다.

② 커피를 마신다.

③ 일을 포기한다.

評価

✔ Self Check ☆☆☆☆☆

✔ Group Check ☆☆☆☆☆

제11과 이번 상도 다 그분들 덕분입니다.

インタビューをしてみよう。

진행자

박 감독

44

会話 라디오 방송 스튜디오에서

진행자 : 안녕하십니까? '달빛이 빛나는 밤에' 진행자 이문재입니다. 오늘은 얼마 전에 유명한 국제 영화제에서 금상을 타셨지요? 박승우 감독님을 이 자리에 모셨습니다. 감독님 오랜만입니다.

박 감독 : 네, 안녕하세요? 오랜만입니다.

진행자 : 먼저 이번에 상을 타신 거 정말 축하드립니다. 감독님뿐만 아니라 우리 영화계에 큰 영광입니다.

박 감독 : 감사합니다. 전혀 예상도 못 한, 이렇게 큰 상을 주셔서 너무 감사할 따름입니다. 이게 모두 같이 고생한 배우 분들이랑 스태프 분들 덕분입니다.

진행자 : 그러시군요. 저는 언젠가는 감독님이 상을 받지 않으실까 하고 생각하고 있었는데요.

박 감독 : 하하, 그러십니까? 그렇게 잘 봐 주셨다니 감사합니다.

진행자 : 그건 그렇고요, 이번 영화에 대해서 스포일러가 되지 않게 간단히 좀 소개해 주십시오.

박 감독 : 네, 이번 작품은 그동안 우리 한국 사회가 단기간에 압축 성장을 하면서 겪을 수밖에 없었던 여러 가지 문제들을 블랙코미디 형식으로 재미있게 풀어놓은 것입니다.

진행자 : 예를 들면 어떤 문제들이 있을까요? 감독님이 주목하신 게.

박 감독 : 특히 아이엠에프 금융 위기 이후에 더 심각해진 양극화 문제와 끊임없이 경쟁을 부추기는 사회 제도, 그리고 그러한 것들이 야기하는 비인간화 같은 것들이 있겠지요.

진행자 : 우리 사회의 우울한 측면들이라고 할 수 있겠습니다만, 또 그런 것들을 어둡게만 그리지 않고 웃음으로 승화해 내는 게 박 감독님만의 장점이라고 할 수도 있을 것 같습니다.

박 감독 : 그런가요? 감사합니다. 아무튼 삶도 영화도 너무 심각해지는 건 정신 건강에 좋지 않잖아요? 웃으면서 살아야지요.

単語

영화제	名	映画祭	작품	名	作品
금상	名	金賞	영광	名	光栄
영화계	名	映画界	예상하다	動	予想する
전혀	副	全く、全然	스포일러	名	ネタバレ
스태프	名	スタッフ	겪다	動	経験する、経る
압축 성장	名	圧縮成長	형식	名	形式
블랙코미디	名	ブラックコメディ	아이엠에프(IMF)	名	国際通貨基金
풀어놓다	動	自由に述べる	위기	名	危機
금융	名	金融	심각하다	形	深刻だ
양극화	名	格差の広がり	끊임없이	副	絶え間なく
경쟁	名	競争	부추기다	動	煽る
제도	名	制度	야기하다	動	引き起こす
비인간화	名	非人間化	측면	名	側面
승화하다	動	昇華する	장점	名	長所
삶	名	人生、暮らし	정신	名	精神
곡	名	曲	잇다	名	繋ぐ

練習問題1(語彙)

전혀　위기　상　양극화　이후　끊임없이

(1) 세계적으로 소득 격차에 따른 경제적 (　　　)가 매우 심각한 수준에 이르렀다.

(2) 지구 온난화로 인해 앞으로도 기상 이변은 (　　　) 계속될 것이다.

(3) 가 : 이번에 (　　　)을 타신 소감을 말씀해 주십시오.

　나 : 정말 끝내 줍니다!

(4) 한국 전쟁 (　　　) 남북한 모두 심각한 경제난에 직면했다.

45

ディクテーションの練習

①

②

③

④

文法

1. 動・形＋을/ㄹ 따름이다

動・形＋었을/았을/였을 따름이다

解説 もっぱらそれだけで、それ以上はないことを表す。特に、①形容詞に付けて使う場合は、その状態や属性が極めて高いことを表す。②動詞に付けて使う場合は、その動作ばかりすることを表す。

例 아이가 대학에 합격했다는 소식을 들으니 그저 **기쁠 따름입니다**.

결과가 어떻게 되든 최선을 **다할 따름입니다**.

시민으로서 제가 해야 할 일을 **했을 따름입니다**.

오늘은 그냥 당신을 만나러 **왔을 따름입니다**.

2. 名＋덕분에～

動＋은/ㄴ 덕분에～

解説 ある結果が誰か或はある行動のお陰だということを表すときに使う。

例 다 **부모님 덕분에** 제가 여기에 설 수 있었습니다.

선생님의 훌륭한 가르침 **덕분에** 제가 이렇게 성공할 수 있었습니다

이게 모두 앞만 보고 열심히 노력한 **덕분입니다**.

일을 무사히 마칠 수 있었던 것은 모두가 최선을 **다해 준 덕분이다**.

3. 動・形＋을/ㄹ 수밖에 없다

解説 他に選択肢がなかったということを表すときに使われる慣用句。日本語の「～するしかない、～せざるを得ない」という表現に当てはまる。

例 읽고 싶지는 않지만 과제를 하려면 이 책을 읽을 수밖에 없다.
미안해. 선생님께 다 말씀드릴 수밖에 없었어.
그때는 그렇게 할 수밖에 없었다.

4. 動・形＋어야지/아야지/여야지

解説 話し手が、ある事柄に対して当然そうしなければならないと判断していることを表すとき使う。自分のことに対して言うときには、意思や義務、使命などを宣言するようなことになる書き言葉としては使われない。

例 사람이라면 당연히 바르게 행동해야지.
올해는 꼭 담배를 끊어야지.
선생님은 학생들의 모범이 되어야지요.

練習問題2(文法)

1. 文脈に合わせて、「−따름이다」を用いて下線部を完成させてみよう。

(1) 이렇게 큰 상을 주셔서 ＿＿＿＿＿＿＿＿

(2) 저는 그저 선배님들이 하라는 대로 ＿＿＿＿＿＿＿＿

(3) 본의 아니게 이런 일이 생겨 ＿＿＿＿＿＿＿＿

(4) 이렇게 오랜만에 만나서 ＿＿＿＿＿＿＿＿

(5) 많이 부족한 저를 이렇게 잘 챙겨 주시니 ＿＿＿＿＿＿＿＿

2. 文脈に合わせて、下線部を完成させ、日本語に訳してみよう。

⑴ ________________ 덕분에 포기하지 않고 끝까지 최선을 다할 수 있었다.

日本語訳：____

⑵ 선생님 덕분에 ________________________________

日本語訳：____

⑶ 제가 원하는 대학에 갈 수 있었던 것은 다 ________________ 덕분입니다.

日本語訳：____

⑷ ________________________________ 것도 다 동료들 덕분입니다.

日本語訳：____

⑸ 꿈을 포기하지 않은 덕분에 ________________________

日本語訳：____

⑹ ________________ 덕분에 최선의 결과를 낼 수 있었습니다.

日本語訳：____

⑺ 준비를 게을리하지 않은 덕분에 ______________________

日本語訳：____

3. 次の韓国語文を日本語に訳しなさい。

⑴ 교통 사고가 났으니까 길이 막힐 수밖에 없지.

日本語訳：____

⑵ 오랜 장마 탓에 빨래가 안 말라서 젖은 옷을 입을 수밖에 없었다.

日本語訳：____

⑶ 비행기 시간에 늦지 않으려면 뛸 수밖에 없겠는데요.

日本語訳: ________________________________

⑷ 미안해. 그렇게 할 수밖에 없는 상황이었어.

日本語訳: ________________________________

⑸ 아버지의 전근으로 이사를 갈 수밖에 없었다.

日本語訳: ________________________________

4.「−어야지」を用い、当然しなければならないことを書いてみよう。また、日本語訳もしてみよう。

⑴ 친구라면 당연히 ________________________________

日本語訳: ________________________________

⑵ ________________ 으로서/로서 당연히 학업에 집중해야지요.

日本語訳: ________________________________

⑶ 사랑하는 사람을 위해서라면 ________________________________

日本語訳: ________________________________

⑷ ________________ 으로서/로서 그 정도 일은 당연히 해야지요.

日本語訳: ________________________________

⑸ 인간이라면 누구나 ________________________________

日本語訳: ________________________________

活動：말하기

▸ ラジオ番組のパーソナリティーになってゲストに来ている有名人にインタビューをしてみましょう。

1. 한 명은 라디오 진행자, 다른 한 명은 초대 손님이 됩니다.
2. 초대 손님을 인터뷰하세요.
3. 인터뷰가 끝나면 역할을 바꿔서 해 보세요.

- 유명 영화배우
- 유니세프 친선대사
- 오랜만에 출연한 작품으로 영화제에서 상을 받음
- 앞으로 감독에도 도전
- 조만간 결혼할 생각

- 인디음악 가수
- 회사 생활 병행
- 오랜 무명 생활
- 작사 작곡 편곡 혼자서
- 최근 발표한 곡으로 유명세
- 전세계 투어가 꿈

- 웹툰 작가
- 최근 선풍적 인기
- 최근 청년 세대의 노력과 좌절, 고단함을 잘 묘사
- 곧 영화화
- 장편 애니메이션에도 도전

-
-
-
-
-

評価

✔ Self Check ☆☆☆☆☆

✔ Group Check ☆☆☆☆☆

講読資料4

한글이 걸어 온 길

한글은 세종이 우리 민족과 일반 백성을 생각하여 친히 만든 글자이기는 하지만, 처음부터 모든 사람들이 받아들이고 널리 썼던 것은 아니다. 당시 집권세력인 양반은 자신들이 진서(眞書)라고 부르던 한문을 주로 사용하였고, 한글은 공식적인 자리에서는 잘 사용하지 않았다. 한글 창제 이후 역대 왕들이 백성을 가르치기 위하여 유불교 경전의 번역이나 의서, 농서 등의 간행에 한글을 사용하기는 했지만, 19세기 말까지도 조선의 공용어 및 공용문자는 어디까지나 한문과 한자였다.

한글이 창제된 후 450년 가까이 한글이 '언문(諺文)' 이나 '암클' 이라는 이름으로 천시받으며 잘 사용되지 않았던 것은 사실 우리만의 문제는 아니다. 이는 당대 동아시아 전체를 시야에 넣고 봐야 하는데, 당시 한문과 한자는 동아시아 전체의 공용어이자 고전어와 같은 위치에 있었다. 즉, 학문을 하거나 공무를 수행하기 위해서는 한문과 한자를 꼭 알아야만 했던 것이다. 서양의 중세 시대에 라틴어의 역할을 떠올리면 어느 정도는 이해가 될 것이다.

그렇다면 한국에서는 언제부터 한글이 공식적으로 공용 문자의 자리를 차지하게 된 것일까? 그것은 갑오개혁(甲午改革)이 있었던 1894년 11월 21일 조선 정부 칙령 제1호에서 "법률 명령은 다 국문으로 본(本)을 삼고, 한역(漢譯)을 부(附)하며, 혹 국한문을 혼용함" 이라는 한글 전용 대원칙의 법령을 공포한 후의 일이다. 물론 이 법령이 바로 널리 시행된 것은 아니지만, 이를 계기로 독립신문을 비롯한 여러 간행물이 한글로 쓰이기 시작했던 것이다.

주시경을 중심으로 한 '국어연구학회' 가 1908년에 '배달말글몯음' 으로 이름을 고친 후, 1913년 4월에는 다시 '한글모' 로 고친다. '한글' 이라는 이름은 이때부터 쓰이기 시작했으며, 그후 1927년에 잡지 "한글" 을 간행되면서 '한글' 이라는 이름이 널리 퍼지게 된다. 한글의 '한' 은 '하나' 또는 '큰' 이라는 우리말에서 따온 것인데, 한글을 언문이라며 낮춰 부른 데에 대하여 '훌륭한 우리말을 적는 글자' 라는 뜻을 붙여 한글의 권위를 세워 준 것이다. 이는 세종이 한글을 '정음(正音)' 이라고 불렀던 것과도 통하는 것이다.

제12과 탕수육은 소스를 부어서 먹어야 맛있다? 찍어서 먹어야 맛있다?

テーマを決め、チームに分かれてディベートをしてみよう。

46

会話 스튜디오 안에서

사회자 : 안녕하십니까? 탕수육은 한국 사람들이 가장 많이 배달시켜 먹는 음식 중의 하나라고 할 수 있겠는데요, 대체로 <탕수육 먹는 법>에 대해서는 두 가지 의견으로 갈리는 것 같습니다. 탕수육에 소스를 다 부어서 먹는 법과 소스에 찍어서 먹는 법이 바로 그것인데요. 오늘은 <탕수육을 먹는 법>이라는 주제를 가지고 의견을 나누고자 합니다.

보　라 : 탕수육을 바삭하고 쫄깃한 맛으로 먹으려면 소스를 찍어야 제맛이죠. 소스를 다 부어 버리면 튀김옷이 눅눅해져서 무슨 맛으로 먹겠습니까?

한번은 친구집에 가서 탕수육을 시켰는데 같이 먹는 사람들한테 물어보기는커녕 자기 마음대로 소스를 부어 버리는 사람이 있더라고요. 참, 어이가 없어서! 남에 대한 배려심이 전혀 없는 것 같아요.

리　나 : 저는 탕수육에 소스를 부어 먹어요. 부드럽고 촉촉한 식감이 나죠. 중국식 탕수육인 꿔바로우나 일본식 탕수육인 스부타도 처음부터 소스가 부어져서 나오잖아요.

보　라 : 그건 그렇고, 각자의 앞접시에 소스를 담아서 찍어 먹으면 위생적이잖아요. 개인에 따라 소스의 양이나 간을 조절할 수도 있고요.

사회자 : 그러면 처음에는 찍어서 먹고 다음에 부어서 먹으면 되지 않을까요? <찍먹>으로 바삭바삭한 식감을 느낀 다음, <부먹>으로 부드럽고 촉촉한 식감을 즐길 수 있는 타협안이라고 할 수 있죠. 참, 일본에서는 가라아게에 <레몬을 뿌려 먹는 사람들>과 <레몬을 안 뿌려 먹는 사람들>이 있다는데요. 여기에 대해서는 어떻게 생각하십니까?

보　라 : 저는 〈가라아게에 레몬을 뿌려 먹는다〉에 대해서 반대합니다. 가라아게는 닭고기를 튀긴 거잖아요. 역시 튀김은 바삭바삭한 식감이 있어야죠. 또 레몬을 뿌리게 되면, 레몬의 상큼한 맛을 느낄 수는 있지만, 신맛이 강해져요. 그러니까 가라아게의 맛을 지워 버리고, 튀김옷도 눅눅하게 만드니까 저는 싫어요.

리　나 : 처음에 레몬의 상큼한 신맛과 가라아게의 본연의 맛이 주는 절묘한 조화를 느껴 보세요. 저는 〈가라아게에 레몬을 뿌려 먹는다〉에 찬성입니다.

보　라 : 일본 사람들 중에서도 주위 사람들에게 물어보지 않고 가라아게에 레몬을 뿌리는 사람들이 있대요. 탕수육과 마찬가지로 같이 먹는 사람에게 레몬을 뿌려도 되는지 먼저 물어보는 것이 예의일 것 같아요.

사회자 : 자 그럼 이제부터 투표를 시작하겠습니다. 지금 화면을 보고 계시는 시청자 여러분 휴대폰으로 #1234를 누르시고 나서 탕수육을 소스에 〈찍어 먹는다〉는 1번, 〈부어 먹는다〉는 2번을 눌러 주세요. 30분 뒤에 투표를 종료하겠습니다.

内容チェック

会話1と2の内容と一致するものは○、一致しないものは×をしよう。

❶ 한국 사람들은 탕수육을 〈소스에 찍어 먹는다〉에 대해 의견이 일치한다.(　　)

❷ 보라와 리나는 가라아게를 먹는 법이 같다. (　　)

❸ 스부타와 꿔바로우는 〈부먹〉이다. (　　)

❹ 보라는 가라아게를 먹을 때 레몬을 뿌려도 되는지 물어보는 게 예의라고 생각한다. (　　)

❺ 이 방송은 전화로 찬반 투표를 한다. (　　)

単語

스튜디오	名	スタジオ	앞접시	名	取り皿
배달	名	配達、出前	담다	動	盛り付ける
탕수육	名	韓国式酢豚	위생적	名	衛生的
방법	名	方法	취향	名	趣向、好み
의견	名	意見	간	名	味付け、塩加減
갈리다	動	分かれる	조절하다	動	調節する
붓다	動	注ぐ	폭신하다	形	ふわふわしている
소스	名	ソース	즐기다	動	楽しむ
찍다	動	つける	타협안	名	妥協案
나누다	動	分ける、交わす	바삭하다	形	カリッとしている
쫄깃하다	形	堅くて弾力性があるさま	뿌리다	動	かける
제맛	名	本来の味	튀기다	動	揚げる
눅눅하다	形	酸っぱい、 酸っぱいる	상큼하다	形	爽やかだ
마음대로	副	気ままに、 思うとおりに、勝手に	신맛	名	酸っぱさ、 酸っぱい味
어이가 없다	形	あきれる	강하다	形	強い
배려심	名	思いやり、配慮	본연	名	本然
쭉	副	ずっと	미각	名	味覚
담그다	動	漬ける	찬성	名	賛成
튀김옷	名	衣(揚げ物)	주위	名	周囲
부드럽다	形	やわらかい、 しなやかだ	마찬가지	名	同様
촉촉하다	形	しっとりしている	예의	名	礼儀
식감	名	食感	투표	名	投票
꿔바로우	名	中国式酢豚	화면	名	画面
스부타	名	酢豚	종료	名	終了
각자	名	各自	그건 그렇고	慣	さて(話題の転換)

表現

-에 대하여	～について	-는 법	～する方法

練習問題1(語彙)

식감	폭신하다	눅눅하다	미각	갈리다	위생	제맛	종료	마찬가지

(1) 타임 세일이 (　　　　)되었습니다. 내일 이 시간에 다시 실시합니다. 다음 기회를 이용해 주시기 바랍니다.

(2) 너무 매운 음식을 먹으니까 (　　　　)이 마비된 것 같아요. 무슨 맛인지 모르겠어요.

(3) 장마가 되니 집안에 습기가 너무 많아서 옷이나 이불이 (　　　　)졌어요.

(4) 겨울철에는 노로 바이러스나 독감이 유행하는데요. 귀가 후에는 바로 손을 깨끗이 씻고 양치질을 하는 등 겨울철 (　　　)에 신경을 쓰셔야 하겠습니다.

(5) '치콜' 이나 '치맥' 이라는 말이 있잖아요. 치킨은 콜라나 맥주와 먹어야 (　　　　)이라고 생각합니다.

(6) 이불이 정말 세련되고 (　　　　)네요. 얼마예요?

(7) 화장품 개발에 관한 동물 실험에 대해 찬성과 반대가 (　　　　)다.

(8) 찍어 먹든 부어 먹든 뱃속에 들어가면 (　　　　　)야.

ディクテーションの練習

47

①

②

③

④

文法

1. 動+어/아/여 버리다

解説 ある行為が完全に終了したことを表す。日本語の「~してしまう」表現に当てはまる。

例 예쁜 옷들이 너무 많아서 돈을 다 **써 버렸어요**.

딸기가 너무 맛있어서 다 **먹어 버렸어요**.

서둘러 나오다가 여권하고 지갑을 집에 놓고 **와 버렸어요**.

일을 **끝내 버리고** 나니까 속이 다 시원하네요.

2. 動・形+게 되다

解説 自分の意志や望みと関係なくそのような状況へ至ったことを表す。日本語の「~ようになる」表現に当てはまる。特に、形容詞と結合した場合は「状態変化の結果」を表す。

例 그 가게는 손님이 없어서 문을 **닫게 되었다**.

동영상을 찍어서 편집하고 자막을 넣는 법을 **알게 됐어요**.

리포트를 많이 쓰다 보니까 한글 타이핑을 **잘하게 되었어요**.

장마 때문에 선물로 받은 과자가 **눅눅하게 됐어요**.

아르바이트를 새로 시작해서 예전보다 더 **바쁘게 됐다**.

3. 動+고자 하다

解説 自分の行為への意図を表す。たまに、相手にしてほしい行為への希望を表したりもする。類似表現の「-으려고/려고 하다」よりは格式体。

注意 主に動詞と結合する。「-었-」や「-겠-」とは結合しない。

例 지금부터 이후 일정에 대해서 **안내해 드리고자 합니다**.

저희 두 사람은 이제 부부가 **되고자 합니다**.

무슨 말씀을 **하고자 하십니까?**

練習問題2(文法)

1.「-어 버리다」を用いて、文を完成させてみよう。

⑴ 너무 피곤해서 렌즈를 안 빼고 (자다)다.

⑵ 남은 음식을 다른 그릇에 (담다)까요?

⑶ 그 사람의 비밀이야기를 (듣다)요.

⑷ 커피에 소금을 (넣다)요.

⑸ 너무 재미있어서 만두를 3분에 50개나 (만들다)다.

⑹ 영상통화 버튼을 잘못 눌러서 깜짝 놀라 (끄다)어요.

⑺ 노래를 너무 많이 불러서 목이 (쉬다)네요.

⑻ 사진이 흔들려서 (지우다)요.

2.「-게 되다」を用いて、文を完成させてみよう。

⑴ 더 좋은 자리가 생겨서 지금 하는 아르바이트를 (그만두다).

⑵ 전차가 끊겨서 택시를 (타다).

⑶ 저 가게는 위생적이지 않아서 재검사를 (받다)다면서요?

⑷ 여러 의견을 나눈 끝에 타협안을 (발표하다).

⑸ 건강이 나빠져서 담배를 (끊다).

⑹ 도쿄에서 개최하는 마라톤 경기에 (참가하다).

⑺ 가라아게를 두 번 튀기니까 훨씬 더 (바삭바삭하다).

⑻ 탄산수에 라임을 넣으니까 맛이 (상큼하다).

3. 例のように「-에 대해서, -고자 하다. -는 법」を用いて、文を完成させみよう。

> 例 (겨울철 건강, 알려 드리다, 겨울에 건강하게 지내다)
> 오늘은 겨울철 건강에 대해서 여러분께 알려 드리고자 합니다.
> 겨울에 건강하게 지내는 법에는 어떤 것이 있을까요?

⑴ (장마철 의류 관리, 보여 주다, 장마철에 옷을 잘 보관하다)

➜ ______________________________

⑵ (지진시 대응 요령, 말씀드리다, 지진시 안전하게 대피하다)

➜ ______________________________

⑶ (비행기 탈출 방법, 안내하다, 비상시 비행기에서 탈출하다)

➜ ______________________________

⑷ (럭비 규칙, 설명하다, 럭비를 두 배로 즐기다)

➜ ______________________________

⑸ (일본의 문화, 소개하다, 일본에서 여가 시간을 보내다)

➜ ______________________________

리포터 : 시청자 여러분, 안녕하십니까? 날씨가 점점 쌀쌀해지는 요즈음, 따뜻한 국물이 있는 음식을 찾으시는 분들이 참 많습니다. 그래서 오늘은 시청자 여러분께 하카타에서 유명한 돈코쓰 라멘집을 소개해 드리고자 합니다. 바로 하카타에서 5대째 라멘집을 운영하는 〈하카타야〉인데요. 라멘집을 직접 운영하고 계시는 사장님을 만나 뵙고 이야기를 들어보겠습니다. 가게 안이 돈코쓰 냄새로 가득한데요. 안녕하십니까? 〈하카타야〉에서 가장 추천하는 메뉴는 무엇입니까?

사장님 : 〈이키나리 돈코쓰 라멘〉이 추천 메뉴입니다. 돈코쓰의 향이 아주 진하게 나는 라멘인데 돼지뼈를 3일 동안 푹 끓여서 만든 국물이라서 맛이 아주 진합니다. 도쿄에서 파는 돈코쓰 라멘은 국물이 너무 연해서 돈코쓰라고 할 수가 없어요. 차슈도 얇아서 식감을 느낄 수 없고요. 그게 무슨 돈코쓰 라멘입니까?

리포터 : 아… 네, 그런데 도대체 이렇게 인기가 많은 비결이 뭘까요? 시청자들께 좀 알려 주십시오.

사장님 : 국물 맛도 국물 맛이지만, 여기 이 차슈에 우리 집 라면의 맛의 비결이 있습니다. 죄송하지만 물론 공개할 수는 없지요.

✈ ....

리포터 : 아… 여기 손님 한 분께 여쭤 보겠습니다. 일주일에 몇 번 정도 여기에 오십니까?

손　님 : 정말 맛있어서 한번 먹어 보면 거의 매일 와서 먹게 되지요. 제 인생 맛집입니다. 중독성이 있어요.

리포터 : 혹시 〈이키나리 돈코쓰〉 말고 추천할 만한 라멘이 있습니까?

손　님 : 〈아쓰기리 차슈〉을 추천합니다. 차슈가 진짜 두툼하고 쫄깃한데, 씹으면 씹을수록 고소한 맛이 납니다. 돈코쓰 라멘 국물에 차슈 맛이 더해지면… 이렇게 먹어야 돈코쓰 라멘의 제맛이 난다고 할 수 있죠.

리포터 : 저는 깔끔한 맛을 좋아하는데요. 혹시 깔끔한 맛을 좋아하는 사람들을 위해 돈코쓰 라멘 먹는 법을 하나 소개해 주시면 감사하겠습니다.

손　님 : 깔끔한 맛을 좋아하는 분들에게는 〈앗사리 돈코쓰〉를 추천해 드리고 싶네요. 그리고 드실 때 생강을 듬뿍 넣어서 드시면 더욱 깔끔한 맛을 즐기실 수 있을 겁니다. 아, 또 반숙 계란을 곁들이면 별미예요. 그건 그렇고 제가 빨리 먹고 회사에 들어가 봐야 해서요...

리포터 : 아, 그러시군요! 죄송합니다. 아무튼 저도 꼭 먹어 봐야겠네요. 감사합니다.

☆☆☆☆☆☆☆☆☆☆☆☆☆☆☆☆☆☆☆☆☆☆☆☆☆☆☆☆☆☆

쌀쌀하다 肌寒い　운영하다 経営する　돈코쓰 豚骨　국물이 연하다 スープが薄い　얇다 薄い　비결 秘訣　공개하다 公開する　중독성 中毒性　두툼하다 分厚い　고소하다 香ばしい　깔끔하다 あっさり　듬뿍 たっぷり　반숙 半熟　곁들이다 添える　별미 格別な味、珍味

1. 다음 본문과 내용이 **다른** 것은 어느 것입니까? (　　)

① 하카타야의 돈코쓰 라멘의 비결은 국물 맛과 차슈이다.

② 돈코쓰 라멘의 제맛은 바로 연하고 깔끔한 맛이다.

③ 아쓰기리 차슈 라멘은 차슈가 쫄깃쫄깃하고 고소하다.

④ 생강을 듬뿍 넣으면 돈코쓰 라멘의 깔끔한 맛을 느낄 수 있다.

2. 다음 단어와의 연결이 **맞지 않는** 것은 어느 것입니까? (　　)

① 돈코쓰 - 돼지뼈

② 아쓰기리 - 두툼하다

③ 하카타야 - 하카타에 있는 숙소

④ 앗사리 - 깔끔하다

3. 本文の内容と一致すれば○、間違っていれば×をしよう。

① 손님은 진하고 고소한 맛을 좋아한다.(　　)

② 사장님은 라멘에 중독되었다.(　　)

③ 사장님은 라멘의 비결을 말씀해 주셨다. (　　)

④ 하카타야에서 가장 추천하는 메뉴는 아쓰기리 차슈이다. (　　)

⑤ 손님은 회사원인데 이 식당에 거의 매일 온다고 한다. (　　)

⑥ 리포터는 앗사리 돈코쓰 라멘을 먹을 것이다. (　　)

4. 본문에 나온 라멘들의 특징을 요약하세요.

	이키나리 돈코쓰 라멘	아쓰기리 차슈 라멘	도쿄에서 파는 돈코쓰 라멘	앗사리 돈코쓰 라멘
특징	・ ・	・ ・	・ ・	・ ・

5. 여러분이 먹고 싶은 라멘은 어디에 있는 무슨 라멘입니까? 그 라멘에 대해 소개해 보세요. 또, 〈라멘을 맛있게 먹는 나만의 비법〉을 알려 주세요.

내가 먹고 싶은 라멘	(예 쇼유 라멘, 미소 라멘 등)	
라멘 소개	장소	
	맛	
	특징	
맛있게 먹는 나만의 비법	넣는다	
	뺀다	
	추가한다	

活動：
쓰기x말하기/
녹음 또는 촬영

テーマを決め、チームに分かれて (1)スクリプトを作成し、(2)ディベートをしてみましょう。

ディベートの際の有用な表現

1. 自分の意見を話す

-에 대해서 찬성(반대)합니다.　～に対して賛成(反対)します。

-을/ㄹ 수 있습니다.　～することができます。

-기 때문에 -을 거라고 생각합니다.

　～だからこそ　～だろうと思います。

-으려면 -어야 합니다.　～するなら　～なければなりません。

2. 相手の意見に反論する

그렇다면　すると

그럼에도 불구하고　それにもかかわらず

말하자면　言わば

-는다고 하셨지만　～するとおっしゃったが

-에 의하면　～によると

-는 건 아닐까요?　～ではないでしょうか。

-는다고 해서 -는 건 아닙니다.

　～といっても～というものではありません。

-지 않습니까?　～じゃないですか。

3. まとめる

-는다고 하셨습니다만　～するとおっしゃいましたが

-는다고 생각합니다　～すると思います。

-을 것입니다　～でしょう。

그러므로　だから

정리하자면　まとめると

例

・お金と時間（大切さ）

・都会と田舎（暮らし）

・整形手術賛否

・未来と過去（バック・トゥ・ザ・フューチャー：どちらへ）など

주제 :	
찬성	반대
정리 :	

評価

✔ Self Check ☆☆☆☆☆

✔ Group Check ☆☆☆☆☆

聴解のスクリプト

제1과

ディクテーションの練習

04

① 여러 사람들한테서 이야기 많이 들었습니다.

② 여기가 제가 다니던 초등학교입니다.

③ 교토는 세계적으로도 아름다운 도시로 유명하잖아요.

④ 한국에 친구가 많이 있어서 자주 놀러 간다고 해요.

活動：듣기×말하기

次の会話を聴いて、質問に答えよう。

05

리나 : 이번 연휴에 간사이 지역에 갔다 오셨다고 들었는데 재미있었어요?

보라 : 네, 한국에서 친구가 오사카로 놀러 온다고 해서 저도 갔다 왔어요.

리나 : 그러시군요. 간사이에서는 어디 어디에 다녀 오셨어요?

보라 : 오사카랑 교토에 갔다 왔는데요, 오사카에서는 USJ에 갔고요, 교토에서는 아라시야마에 갔다 왔어요.

리나 : 고베에는 안 가셨어요?

보라 : 아, 맞다. 고베에도 다녀 왔어요. 친구가 고베규를 먹고 싶다고 해서요.

리나 : 우와, 짧은 시간 동안 정말 여러 곳을 다녀오셨군요!

보라 : 각 지역이 생각보다 그렇게 멀지 않고 교통도 편리해서 금방 갔다 올 수 있었어요.

리나 : 고베규는 어디서 먹었어요?

보라 : 산노미야역 근처에 있는 가게인데요, 예전에 한번 가 봤던 철판요리점이에요. 그때도 정말 맛있었는데, 이번에도 진짜 맛있었어요.

리나 : 좋았겠어요. 저도 고베에 직접 가서 한번 먹어 보고 싶네요.

보라 : 근데, 도쿄에서는 에스컬레이터를 탈 때 사람들이 모두 왼쪽에 서잖아요.

리나 : 네.

보라 : 근데 이번에 유심히 보니까 오사카에서는 사람들이 모두 오른쪽에 서 있었어요. 한국에서도 오른쪽에 서잖아요. 그래서 왠지 친근했어요.

리나 : 그랬군요. 다음에는 저랑도 같이 여행 가요.

보라 : 네, 좋아요. 같이 가요.

제2과

ディクテーションの練習

08

① 그래도 가끔씩은 메시지를 확인해야 되는 거 아니야?

② 한국에서는 욕심쟁이나 심술궂은 사람을 놀부 같은 사람이라고 불러.

③ 앞으로는 다른 사람한테 화풀이하지 마.

④ 기다리느라고 배가 많이 고파졌어.

活動：듣기

09

次の会話を聴いて、質問に答えよう。

보라：창수야, 나 어제 오랜만에 한국 음식점에 갔는데 음식 맛이 괜찮더라.

창수：그래? 거기가 어딘데? 난 아직 일본에 와서 한국 음식점에 가 본 적이 없는데….

보라：〈놀부네〉라는 곳인데 역에서 좀 멀더라고. 약간 걸어야 돼.

창수：어제는 누구랑 같이 갔는데?

보라：리나랑 같이 갔다 왔는데, 내가 리나한테 문자 확인 잘 안 한다고 막 화를 내고 말아서 나중에 좀 미안했어.

창수：진짜?

보라：응, 사실 내가 좀 늦었는데…, 계속 라인을 해도 연락이 없잖아.

창수：우와, 그렇다고 해서 니가 잘못 했으면서 화를 내? 보라 너 신경질 자주 내는 건 알아줘야 해. 한국에서야 그렇게 자주 문자 확인하고 연락하고 하지. 나도 일본에서는 문자 확인 같은 거 잘 안 해.

보라：나도 내가 잘못한 거 알아. 근데 나도 그때 내가 왜 그랬는지 모르겠어.

창수：그건 그렇고. 그래서, 리나는 아무 말도 안 해?

보라：아니, 리나도 좀 황당해하더라고. 그래서 내가 싹싹 빌고 밥 산다고 했지.

창수：그래? 그래서 밥 샀어? 일본에서는 그런다고 밥 사거나 하지 않을 텐데.

보라：응, 그러더라. 리나가 하두 됐다고 해서 그냥 더치페이했어.

창수：보라 너 다음부터는 어디 가서 함부로 신경질 부리거나 하지 마.

보라：어. 알았어. 나도 조심할게!

제3과

ディクテーションの練習

12

① 찬바람을 너무 많이 쐬면 감기에 걸릴 텐데.

② 더우니까 펄펄 끓는 삼계탕 먹을까?

③ 지구온난화에 대한 리포트인데 내가 그런 데에 좀 관심이 없어서.

④ 해양오염이 심해지면 생선회를 못 먹게 될지도 몰라.

活動：듣기

次の会話を聴いて、質問に答えよう。

13

미사 : 요즘 너무 덥지 않니? 거의 매일 35도 이상이야. 더워서 잠을 잘 수가 없어.

유이 : 밖에 나가면 정말 더워서 죽을 것 같아. 가만히 앉아 있어도 땀이 줄줄 흐르고…. 체력도 많이 떨어진 것 같아. 여름에는 실내에 있는 게 좋긴 한데 냉방병에 걸릴 것 같아서 싫기도 하고. 어떻게 하면 여름을 건강하게 보낼 수 있을까.

미사 : 내가 여름철에 건강하게 지내는 법을 알려줄까? 더울 때는 이열치열이라고, 아무리 더워도 몸을 움직여서 땀을 내는 것이 필요하대.

유이 : 폭염주의보인데 운동을 하라고? 난 그냥 집에서 에어컨 팡팡 틀고 음악 듣는 게 제일 좋은데.

미사 : 집에 가만히 있으면 좋긴 하지. 하지만 아침이나 저녁 시간에 바람 불고 그늘이 있는 야외에서 가벼운 산책이나 체조, 스트레칭 같은 걸 하는 게 여름철 건강에 좋대. 그리고 운동을 하면 탈수 현상이 일어날 수 있으니까 수분 충분히 섭취하면서 말이야.

유이 : 그렇구나. 밤에 나가서 운동 좀 하고, 차가운 물로 목욕하고 시원한 수박을 먹으면 좋겠네.

미사 : 근데 더운 여름에 차가운 물이나 뜨거운 물로 목욕하는 건 안 좋대. 적절한 체온을 유지할 수 있게 미지근한 물로 샤워하는 것이 건강을 유지할 수 있대.

유이 : 내가 좋아하는 건 다 몸에 안 좋은 거네. 집에 가자마자 강아지 산책시킬 겸 공원에 한번 나가 봐야겠다.

제4과

ディクテーションの練習

16

① 어디 가까운 곳이라도 잠깐 나갔다 왔으면 좋겠다.

② 해외에 가려면 돈이 많이 들까요?

③ 항공권은 제가 찾아볼 테니까 숙박 시설을 알아봐 주실래요?

④ 한국 친구한테 맛집을 좀 알아봐 달라고 해야겠어요.

活動：듣기×말하기

17

次の会話を聴いて、質問に答えよう。

보라 : 리나는 시간이 많을 때 보통 뭐 하면서 지내?

리나 : 나? 난 그냥 집에서 책도 읽고 영화도 보고. 흠… 가끔씩 동네 근처 공원에 산책도 가고. 그러면서 지내지 뭐. 근데 왜?

보라 : 응, 다름 아니라 일본에 와서 나도 뭔가 취미 활동 같은 걸 하고 싶은데 뭐 재밌는 게 없을까 하고.

리나 : 그래? 한국에 있을 때는 주로 뭘 했는데?

보라 : 사진 동호회에 나가서 사진도 같이 찍으러 다니고, 대학교 친구들이랑 맛집 탐방도 다니고 뭐 그랬지.

리나 : 우와, 재밌었겠다!

보라 : 가끔 운동하고.

리나 : 운동? 운동은 무슨 운동?

보라 : 아, 내가 어렸을 때부터 테니스를 좀 배워서 가끔씩 테니스를 치고 그랬어.

리나 : 테니스? 나도 테니스를 배운 적이 있어서 좀 칠 수 있는데. 그럼 이번 주말에 같이 테니스 치러 갈까?

보라 : 테니스? 응, 난 좋아. 기숙사에 내 라켓도 있어. 한국에서 가져 온 거.

리나 : 그래? 그럼 잘 됐다. 테니스 코트는 내가 예약할 테니까 너는 그냥 라켓만 가지고 와. 다른 준비물도 내가 다 가지고 올게.

보라 : 진짜? 알았어. 고마워!

리나 : 그래 그럼 예약하고 나서 다시 연락할게.

보라 : 응, 알았어.

ディクテーションの練習

20

① 이 옷은 보면 볼수록 정말 예쁘다.

② 사고 싶은 것이 너무 많아서 뭘 사야 할지 잘 모르겠어요.

③ 올해는 체크무늬가 유행인가 봐.

④ 보기만 해도 진짜 맛있어 보이네요.

活動：듣기×말하기

次の会話を聴いて、質問に答えよう。

21

A(男)：손님, 오늘은 어떻게 오셨어요?

B：머리 좀 염색하려고 왔는데요….

A(男)：아, 그러세요? 혹시 찾으시는 디자이너 분이 계신가요?

B：아니요, 딱히 없는데요. 오늘 여기 처음 왔거든요.

A(男)：네, 그러시군요. 그럼 저기서 잠깐만 기다려 주실래요? 저희 원장 선생님이 조금만 있으면 바로 앞 분이 끝나시거든요. 그럼 제가 바로 연결시켜 드릴게요.

B：원장님이면 너무 비싼 거 아닌가요?

A(男)：아니에요. 저희 가게는 모든 디자이너 분들이 다 똑같아요. 그러니까 기왕이면 원장님한테 받으시는 게 좋잖아요. 잠깐만 기다리세요.

B：네, 알겠습니다. 고맙습니다.

C：안녕하세요? 많이 기다리셨지요? 죄송해요. 오늘 손님이 너무 많아서요.

B：아니에요. 별로 안 기다렸어요.

C：머리는 어떻게 해 드릴까요? 염색을 하고 싶어 하신다고 들었는데….

B：네. 연한 갈색으로 좀 해 주실래요? 그리고 머리 끝이 좀 많이 상해서 그런데 염색 후에 머리도 좀 다듬어 주세요. 트리트먼트도 좀 해 주시고요.

C：네 알겠습니다. 앞머리는 어떻게 할까요?

B：그건 그냥 알아서 해 주세요.

C：네. 그럼 먼저 샴푸부터 하실까요? 이리로 오세요. 샴푸실로 안내해 드리겠습니다.

제6과

ディクテーションの練習

26

① 흥부가 막대기로 구렁이를 내쫓았어요.

② 금은보화와 비단이 쏟아져 나왔어요.

③ 아니 이게 웬 쌀이야.

④ 이 소식을 들은 흥부는 놀부에게 같이 살자고 했어요.

活動：듣기

27

次の文章を聴いて、質問に答えよう。(男)

오늘은 〈흥부와 놀부〉에 나오는 제비에 대해서 이야기해 보겠습니다.

흥부집에서 살던 제비는 구렁이의 공격을 받게 됩니다. 이때 흥부가 구렁이를 내쫓아 주지만, 제비는 둥지에서 떨어져 그만 다리가 부러지고 맙니다. 착한 흥부가 제비 다리를 치료해 주자 가을에 제비는 따뜻한 강남으로 돌아갑니다.

이때 제비가 날아간 강남은 어디를 말하는 걸까요? 제비는 따뜻한 곳을 찾아 옮겨 다니는 여름 철새이기 때문에, 제비가 날아간 강남은 중국의 양쯔강 남쪽 지역일 것이라는 설이 가장 유력합니다. 예부터 양쯔강 남쪽의 강남 지역은 따뜻한 기후와 해상 무역이 발달된 풍요로운 곳이라고 합니다. 〈강남 갔던 제비가 돌아왔다〉라는 말은 바로 철새인 제비가 따뜻하고 풍요로운 중국의 남쪽 지방까지 날아갔다가 다시 돌아온 것을 의미하는데, 다음 해 봄에 제비는 흥부에게 박 씨를 선물로 주고, 흥부를 큰 부자로 만들어 줍니다.

한국의 속담 중에 〈친구 따라 강남 간다〉 라는 말이 있는데, 하고 싶지 않은 일을 남에게 끌려서 함께 하는 것을 뜻합니다. 이때의 강남은 서울시 강남구를 가리키는 것일까요? 아니면 중국 남쪽 지방을 가리키는 것일까요? 이 속담에서 말하는 강남 역시 서울시 강남구를 의미하는 것이 아니라 바로 〈흥부전〉에 나오는 중국 남쪽 지방을 말하는 것입니다.

ディクテーションの練習

30

① 잘 보기는커녕 완전 망친 거 같아.

② 지금 딱 점심 시간이니까 사람이 많을지도 모르겠다.

③ 요즘 일본에서 한국 음식이 인기가 많은 모양이야.

④ 넌 정말 요리를 잘하나 보구나.

活動：듣기×말하기

次の文章を聴いて、質問に答えよう。(女)

31

한국에서는 계절에 따라 음식을 달리 만들어 먹었다. 봄에는 쑥을 뜯어 떡을 빚어 먹거나 국을 끓여 먹었다. 산에 가서 나물을 뜯어 와 나물 반찬을 만들어 먹기도 하고 진달래꽃으로는 떡과 전을 만들어 먹기도 했다.

더위에 몸도 마음도 지쳐 가는 여름이면 이열치열로 뜨거운 삼계탕이나 육개장과 같은 보양식을 먹고 힘을 냈다. 특히 여름에는 땀을 많이 흘리기 때문에 몸에서 빠져나간 염분을 보충해 줘야 했다. 그래서 오이지나 짠지를 만들어 먹기도 했던 것이다.

가을이 오면 새로 수확한 쌀로 송편을 빚었고, 국화꽃으로는 국화전을 만들어 먹었다.

추운 겨울에는 따뜻한 음식을 주로 먹었는데, 고기를 넣고 보글보글 끓인 전골이나 찌개, 국을 먹었다. 지금이야 겨울에도 비닐하우스에서 재배한 채소를 먹을 수 있지만 옛날에는 겨울에 채소를 가꿀 수 없었기 때문에 미리 김장을 했던 것이다.

김치는 한국의 대표적인 반찬이라고 할 수 있는데, 지방마다 그 맛이 다 다르다. 왜 그럴까? 그건 지방마다 자연환경이나 기후가 다르고, 생산되는 채소나 젓갈이 달랐기 때문이다.

겨울이 비교적 따뜻한 남부 지방에서는 김치가 너무 빨리 익는 것을 막기 위해서 고춧가루나 소금을 많이 넣는다. 또 바다에서 나는 해물이나 젓갈도 듬뿍 넣는다. 그래서 김치의 맛이 짜고 매우며, 아주 강한 맛이 나는 것이다. 반면에 날씨가 추운 북부 지방에서는 김치가 비교적 천천히 익기 때문에 소금이나 젓갈을 많이 넣을 필요가 없다. 그렇기 때문에 김치의 맛이 싱겁고 담백한 것이다.

제8과

ディクテーションの練習

34

① 게다가 짖으면 시끄럽잖아.

② 항공사에 따라 반려동물 규정이 다르니까 확인해 봐야 돼.

③ 돌아오자마자 키워야겠다.

④ 깜박 잊어버릴 뻔했다.

活動：듣기

次の文章を聴いて、質問に答えよう。(女)

35

요즘 반려동물을 통해 힐링하는 분들이 많이 늘어나고 있는데요. 키우는 데에 손이 많이 갈까봐 반려동물을 키우는 것을 망설이시는 분들을 위해 오늘 제가 소개할 〈키우기 쉬운 반려동물〉은 〈하늘다람쥐〉입니다.

〈하늘다람쥐〉는 아이큐가 85라고 하네요. 아주 높죠? 눈치도 빠르고 애교도 많은 편이에요. 무엇보다도 편한 점은 첫째 먹이인데요. 주로 과일이나 야채 등이고요. 간식으로 아몬드를 먹는다고 해요.

두 번째로는 50그램 정도의 작은 몸을 가지고 있기 때문에 배변 양이 적고 거의 냄새가 안 나요.

세 번째로는 야행성이라서 낮에는 잠만 자니까 출퇴근하는 사람들도 안심하고 키울 수 있어요. 또 산책시킬 필요도 없고요.

이렇게 여러 장점을 가진 애완동물인 〈하늘다람쥐〉. 키워 보시는 게 어떠세요? 이은아 리포터였습니다.

제9과

ディクテーションの練習

38

① 내가 증상을 제대로 설명하지 못한 건지 약이 잘 안 들어.

② 같이 한국어를 배우는 친구들이 자주 가던데.

③ 이 가게는 누구나 다 아는 줄 알았어.

④ 이 약을 먹고도 병세에 호전이 없으면 다시 오세요.

活動：듣기×말하기

次の会話を聴いて、質問に答えよう。

39

약사(女): 어떻게 오셨어요?

환자(男): 점심에 먹은 게 체했는지 소화도 안 되고 속도 답답해서 왔어요.

약사(女): 소화제는 드셨나요?

환자(男): 네. 집에 소화제가 있어서 한 알 먹었는데도 계속 속이 불편하네요.

약사(女): 점심에 뭘 드셨지요?

환자(男): 보쌈정식을 먹었는데, 고기를 너무 급하게 많이 먹었나 봐요.

약사(女): 그러시군요. 설사는 안 하시고요?

환자(男): 네. 설사는 안 해요.

약사(女): 그럼 이 약을 한번 드셔 보세요. 하루에 3번, 식후 30분 정도에 두 알씩 드시면 돼요. 급체나 소화불량에 잘 듣는 약이거든요.

환자(男): 감사합니다. 그런데 이 약을 사는 데 처방전 같은 것은 필요 없나요?

약사(女): 네, 소화제나 감기약 같은 건 처방전 없이도 그냥 살 수 있어요. 요즘에는 편의점에서도 팔거든요.

환자(男): 그렇군요. 그리고 이 약, 혹시 부작용 같은 건 없나요?

약사(女): 네. 약을 먹고 갑자기 설사를 하거나 두통이 있으면 바로 약 드시는 걸 그만두시고 가까운 병원에 가 보세요. 그 밖의 부작용에 관한 내용은 따로 설명서에 자세하게 적혀 있으니까 그걸 잘 읽어 보세요.

환자(男): 네, 알겠습니다. 감사합니다. 얼마지요?

약사(女): 7,500원입니다.

제10과

ディクテーションの練習

42

① 큰 흉터가 남아 있어.

② 꾀병을 핑계로 집에 있을 거야.

③ 발자국 소리가 난 것 같아.

④ 손이 덜덜 떨려서 번호가 안 눌러져.

活動：듣기

次の会話を聴いて、質問に答えよう。

43

보라 : 리나야! 내일이 취직 시험 면접인데 너무 떨려. 이번에는 꼭 합격해야 할 텐데…

리나 : 보라 너는 1년 동안 열심히 준비했으니까 잘 될 거야. 걱정하지 마.

보라 : 면접관이 어떤 질문을 할까? 가만히 있으면 너무 스트레스가 쌓여서 커피만 자꾸 마시게 돼.

리나 : 내가 질문을 몇 개 뽑아 볼게. 같이 연습해 볼까?

보라 : 그래. 한번 물어 봐.

리나 : 본인의 성격의 장점은 무엇이라고 생각하십니까?

보라 : 포기하지 않는 성격입니다.

리나 : 1억원이 생긴다면 무엇을 하시겠습니까?

보라 : 부모님께 맛있는 음식을 사드리고, 차도 한 대 사겠습니다.

리나 : 좌절을 경험한 적이 있습니까?

보라 : 네, 대학 시험에 떨어졌을 때입니다. 연습하니까 오히려 더 긴장만 되는데 어떡하지?

리나 : 그냥 잊어버리고 푹 자. 그래야 내일 화장도 잘 받지.

보라 : 맞다. 그리고 내일 지하철에서 사람들한테 밀려서 발 안 밟히게 아침 일찍 출발해야겠다.

제11과

ディクテーションの練習

45

① 이렇게 큰 상을 주셔서 감사할 따름입니다.

② 이게 다 여러분 덕분입니다.

③ 그가 돌아오는 것을 기다릴 수밖에 없었다.

④ 힘들어도 열심히 해야지요.

제12과

ディクテーションの練習

47

① 부드럽고 촉촉한 식감이 나죠.

② 튀김은 바삭바삭한 맛이 있어야죠.

③ 상큼한 맛을 느낄 수는 있지만 신맛이 강해져요.

④ 삼십 분 뒤에 투표를 종료하겠습니다.

語彙リスト(韓→日)

ㄱ

가급적　なるべく
가끔　たまに
가난하다　貧乏だ
가래　痰
가만히　じっとして
가옥　家屋
각도　角度
각자　各自
간　味付け
간식　おやつ
간을 보다　味を見る
갈라지다　割れる
갈리다　分かれる
갈색　茶色
감기약　風邪薬
감기에 걸리다　風邪をひく
강하다　強い
개최하다　開催する
거북이　亀
거절　断り、拒絶、拒否
걱정　心配
건강검진　健康診断
걸리다　かかる
검다　黒い
검사　検査
겉　表
게다가　さらに
격차　格差
겪다　経験する、経る
경비　経費
경사　慶事
경쟁　競争、競い
경제적　経済的
곁들이다　添える
계절　季節
고단함　疲れ、疲労
고생　苦労
고소하다　香ばしい
고스란히　そのまま、余すところなく
고치다　直す
곡　曲
공개　公開
공격　攻撃
공사　公私
공연　公演
공예　工芸
과거　過去
구렁이　アオダイショウ
구름이 끼다　雲がかかる
구별　区別
구석　隅、片隅
구석구석　隅々
국물이 연하다　スープが薄い
국보　国宝
국화꽃　菊(の花)
궁금하다　気になる、知りたい
귀가　帰宅
귀찮다　面倒くさい
규정　規定
그건 그렇고　それはさておき
그림자　影
그립다　恋しい
그만두다　やめる
금　金
금상　金賞
금융　金融
금은보화　金銀宝物
급체　急な消化不良
급한 일　急用
급히　急ぎで、急に
기르다　飼う、育てる
기분 전환　気分転換
기와집　瓦屋
기왕이면　どうせなら
기후　気候
긴장　緊張
김치를 담그다　キムチをつける
깔끔하다　あっさりしている
깜박　うっかり
꺾어지다　曲がる
꼬리　しっぽ
꾀병　仮病
꿔바로우　中国式酢豚
끊임없이　絶え間なく
끼치다　及ぼす

ㄴ

나누다　分ける
날아오다　飛んでくる
남다　残る、余る
낫다　治る、ましだ
내과　内科
내쫓다　追い出す
냄새　におい
냉방병　冷房病
넘어가다　超える
넘어지다　こける、倒れる
놀이기구　アトラクション
놈　野郎
농담　冗談
누각　楼閣
누렇다　黄色(少し暗いイメージ)
누르다　押す
눅눅하다　湿っぽい
눈썹　まゆげ
눈치가 빠르다　勘が鋭い、目早い
눌러지다　押せる
뉘우치다　悔いる、反省する
늘　常々、常に
늦잠(을 자다)　寝坊(をする)

ㄷ

다치다　怪我する
단골　行き付け、お得意先
닫히다　閉まる
달력　カレンダー
닮다　似ている
담그다　漬ける
담다　盛り付ける
담장　塀
답답하다　息苦しい、もどかしい
당연히　当然
당장　今すぐ
당하다　やられる
대다　当てる
대박　大当り
대응　対応
대피　待避
더위를 타다　暑がる
더치페이　割り勘
덜덜　ぶるぶる
데리고 가다　連れて行く
도깨비　鬼
도대체　一体

도성　都城
도입　導入
독감　インフルエンザ
독특하다 独特だ
돌　石
돌고래　イルカ
돌다　回る
돌아다니다　歩き回る、巡る
동아리　サークル
두통　頭痛
두툼하다　分厚い
둘러보다 見回る
뒤집다　ひっくり返す
들다　(お金が)かかる
들리다　聞こえる
들어차다 びっちり埋まる
듬뿍　たっぷり
등장　登場
따르다　従う
딱　ぴったり、ちょうど
딱 좋다　ちょうど良い
딱히~(否定)　特に~(否定)
땀(이 나다)　汗(が出る)
떨리다　震える、緊張する
떼다　はがす
똥　糞
뚝뚝　ぼとぼと

ㅁ

마르다　渇く、乾く
마비　麻痺
마음껏　思い存分
마음대로　気ままに、思うとおりに、勝手に
마음에 들다　気に入る
마음이 맞다　気が合う
마찬가지 同様
마치다　終わらせる
막　むやみに、やたらに
막대기　棒
막상　いざとなると
만만치 않다　手ごわい、適えない
만일　もし、万が一
만지다　触る
말고　名+ではなく
말다툼　口喧嘩
말리다　乾かす
맛집　美味しいと有名な店
맛집 탐방　グルメ巡り、食べ歩き
망설이다 ためらう
망치다　台無しにする、だめにする
망하다　滅びる、潰れる
맡기다　預ける、任す
매다　結ぶ
매콤하다 甘辛い
먹이　餌
먹이다　食べさせる
멋지다　格好いい、素敵だ
면도하다 ひげをそる
모기　蚊
모범　模範
목　喉、首
목감기　喉の風邪
목격　目撃
목수　大工
몸동작　振り付け
몸살　ひどい疲れからの病気
몸살감기 ひどい風邪
무릎　膝
무명　無名
무사히　無事に
무섭다　怖い、恐ろしい
무역　貿易
문루　門楼
묻다　埋める
물가　物価
물놀이　水遊び
물려받다 引き継ぐ
물리다　噛まれる
물어보다 尋ねてみる
물에 불리다　水にふやかす
미각　味覚
미간(을 찌푸리다)　眉間(にしわを寄せる)
미세플라스틱　マイクロプラスチック
미지근하다　温い

ㅂ

바꾸다　変える
바람을 쐬다　気晴らしする
바삭하다 カリっとしている
박(을 타다)　フクベ(を挽く)
박력　迫力
밖에~(否定)　しか~(否定)
반대　反対
반려동물 ペット
반성하다 反省する
반숙　半熟
발단　発端
발뺌　言い逃れ
발자국　足跡
밤새　一晩中
밤새다　徹夜する
밥맛이 좋다　食欲がある
밥풀　飯粒
방법　方法
방화　放火
배경　背景
배달　配達、出前
배려심　思いやり
배멀미　船酔い
배변　排便
버릇　癖
벌써　既に
범인　犯人
벨　ベル
별미　珍味
별일　別事
병문안　お見舞い
병세　病勢、病状
병행　並行
보들보들하다　滑らかだ、しなやかだ
보리　麦
보양식　スタミナ料理
보이다　見せる、見える
보충　補充
복용　服用
본고장　本場
본연　本然
볼　頬
부근　付近
부드럽다 やわらかい、しなやかだ
부딪치다 ぶつかる
부러뜨리다　折る
부러지다 折れる
부인　婦人
부자　金持ち
부작용　副作用
부채　扇子
부추기다 煽る
북극곰　ホッキョクグマ
불쌍하다 かわいそうだ

불을 지르다　火をつける
붐비다　賑わう
붓다01　腫れる、浮腫む
붓다02　注ぐ
붕괴　崩壊
붕대　包帯
블랙코미디　ブラックコメディ
비결　秘訣
비단　絹
비뚤어지다　歪んでいる
비밀　秘密
비인간화　非人間化
빚다　(餅を)作る
뺨　ほっぺ
뻔뻔스럽다　ずうずうしい
뿌리다　かける
삐다　捻る
삐다　(足を)ひねる

ㅅ

사건　事件
사다리　はしご
사이(가 틀어지다)　仲(が悪くなる)
사이좋다　仲が良い
사진이 흔들리다　写真がぶれる
사춘기　思春期
사투리　訛り
살려주다　助けてやる
살짝　そっと
삶　人生、暮らし
상냥하다　優しい
상승　上昇
상처를 받다　傷を負う、傷つく
상큼하다　爽やかだ
새끼　動物の赤ちゃん
새다　(雨が)漏れる
새로　新たに、改めて
새송이버섯　エリンギ
새엄마　ままはは
샘　嫉妬、ねたみ
서류　書類
서운하다　名残惜しい、寂しい
선풍적　旋風的
설　説、見解
설거지　皿洗い
설사　下痢
섭섭하다　残念だ、寂しい
성격　性格
성의　誠義
성적순　成績順
세일하다　セールする
센티멘털하다　センチメンタルだ
소감　所感、所懐
소득　所得
소란스럽다　騒がしい
소문　噂
소방관　消防士
소스　ソース
소풍　遠足
소화불량　消化不良
속담　ことわざ
손대다　手を付ける、触る
손이 가다　手間がかかる
손질　手入れ
손질하다　手入れをする
솜씨　腕前
수분 섭취　水分補給
수확하다　収穫する
숙박 시설　宿泊施設
숙주　もやし
숫자　数字
스부타　酢豚
스태프　スタッフ
스튜디오　スタジオ
스포일러　ネタバレ
습관　習慣、癖
습관적으로　習慣的に
습기　湿気
승화하다　昇華する
시키다　させる
시험에 붙다　試験に受かる
식감　食感
식다　冷める
식중독　食中毒
식후　食後
신경을 쓰다　気にする
신경질을 내다　イライラする
신고　通報、申告
신나다　浮かれる
신맛　酸っぱさ
실연　失恋
실제론　実際は
심각하다　深刻だ
심다　植える
심술궂다　意地悪だ
심심하다　退屈だ
심하다　ひどい
싱겁다　味が薄い
싱글벙글　ニコニコ
싱싱하다　新鮮だ
싸우다　喧嘩する
쌀쌀하다　肌寒い
쌓이다　溜まる、積もる
쏟아지다　降り注ぐ
쐬다　風に当たる
쑥　よもぎ
쓸쓸하다　わびしい、寂しい
씨　種
씻기다　洗わせる

ㅇ

아쉽다　惜しい
아이고　ああ、まあ、やれやれ
아이엠에프(IMF)　国際通貨基金
아카펠라　アカペラ
안경테　眼鏡の縁
안과　眼科
안색　顔色
안전수칙　安全規則
알고 지내다　知り合いだ
알아주다　認める
압축 성장　圧縮成長
앞머리　前髪
앞접시　取り皿
애교　愛嬌
야기하다　引き起こす
야행성　夜行性
약도　略図
약을 잘 챙겨 먹다　欠かさずに薬をちゃんと飲む
약을 타다　薬をもらう
약이 듣다　薬が効く
얇다　薄い
양극화　格差の広がり
양념　たれ、合わせ調味料
양치질　歯磨き
얘　この子
어떡하지?　どうしよう。
어울리다　似合う
어쩐지　どうしたのか、なんとなく
언제든지　いつでも
얼큰하다　口の中が痛いくらい辛い

엄청　とてつもなく、ものすごく
에 대하여　名+について
에 대해서　名+について
에 따라　名+によって
에어컨　クーラー
엑스레이　レントゲン
여름철　夏の間
연기　煙
연하다　柔らかい、薄い
열(이 나다)　熱(が出る)
열리다01　開く
열리다02　実る
염분　塩分
염색　染色、染め
영광　栄光、光栄
영상통화　ビデオ通話
영향　影響
영화계　映画界
영화제　映画祭
예매하다　(チケットを)予約する
예부터　昔から
예상하다　予想する
예약하다　(店を)予約する
예의　礼儀
예전　以前
옛날　昔々
오랜만에　久しぶりに
오염　汚染
온난화　温暖化
온순하다　おとなしい
옷가게　服屋
옷차림　身なり
완전　完全
왕복　往復
왠지　なんとなく
외롭다　寂しい
요령　要領、コツ
욕심쟁이　欲張りな人
용서하다　許す
우기다　言い張る
우려스럽다　懸念される、心配になる
우울하다　憂鬱だ
운명　運命
운영　経営
웬　なんという
웬만한 건　ある程度のものは
위기　危機
위생적　衛生的
유력하다　有力だ
유심히　注意深く
유행　流行
으로 인해　名+によって、名+のせいで
으슬으슬　ゾクゾク
음치　音痴
의견　意見
의도　意図
의류　衣類
의심　疑い
이변　異変
이불을 덮다　布団をかぶる
이비인후과　耳鼻咽喉科
이산화탄소　二酸化炭素
이열치열　以熱治熱
이유　理由
이유식　離乳食
익다　煮える、実る
인물　人物
인체　人体
임대료　家賃
입에 맞다　口に合う
잇다　繋ぐ
잇몸　歯茎

ㅈ

자국　痕
자랑하다　自慢する
자막　字幕
자만하다　自惚れる
자부심　自負心、プライド
작품　作品
잔뜩　いっぱい、ぎっしり
잠기다　閉ざされる
잡아먹다　動物を屠って食べる
장마철　梅雨の期間
장점　長所
재산　財産
저가 항공　格安航空、LCC
적정　適正
전소　全焼
전주　全州(地名)
전혀　全く、全然
절교　絶交
젓갈　塩辛
정신　精神
정하다　決める、定める
정형외과　整形外科
젖다　濡れる
제거하다　除去する、除く
제대로　まともに、思い通りに
제도　制度
제맛　本来の味
제비　ツバメ
제출　提出
조용하다　静かだ
조절　調節
졸다　居眠りする
종료　終了
좌절　挫折
주걱　杓子
주렁주렁　鈴なり、ぞろりと
주변　周辺
주위　周囲
주제　主題、テーマ
줄무늬　ストライプ柄、ボーダー柄
중독성　中毒性
즐기다　楽しむ
증상　症状
지붕　屋根
직면　直面
직진　直進
직후　直後
진달래꽃　ツツジ
진심이다　本気だ
진입　進入
진찰　診察
진화　鎮火
질기다　(肉などが)堅い
집안일　家事
집중　集中
짓다　建てる
짖다　ほえる
쩍　ぽかんと
쫄깃하다　堅くて弾力性があるさま
쫓겨나다　追い出される
쭉　ずっと
찌푸리다　しわ寄せる
찍다　つける

ㅊ

차려입다　おしゃれをする
차별　差別
찬성　賛成
참다　我慢する、耐える

참맛　珍味、真髄
참신하다 斬新だ
참치회　マグロの刺身
창가　窓際、窓辺
찾아가다 訪ねる
처마　軒
처방전　処方箋
철판요리 鉄板料理
철학자　哲学者
첨가하다 付け加える
첫사랑　初恋
청첩장　結婚式の招待状
체력　体力
체하다　胃もたれする
체험　体験
촉촉하다 しっとりしている
최선을 다하다　最善を尽くす
추가 할인　追加割引
추억　思い出
추워지다 寒くなる
축농증　蓄膿症
축제　祭り
충격　衝撃
충혈되다 充血する
취향　趣向、好み
측면　側面
치과　歯科
치우다　片付ける、どける
친근하다 親しい
친해지다 仲良くなる
침　よだれ、つば
침을 삼키다　唾を飲み込む

ㅋ

콧구멍　鼻の穴
콧물　鼻水
콩나물　豆もやし
큼지막하게　大きめに
키우다　育てる
타협안　妥協案
탁구(를 치다)　卓球(をする)
탄산수　炭酸水
탈수 현상　脱水現象
탈출　脱出
탕수육　韓国式酢豚
태우다01　燃やす
태우다02　乗せる
터덜터덜　とぼとぼ
턱　顎
털　毛
투표　投票
튀기다　揚げる
튀김옷　(揚げ物の)衣

ㅍ

펄펄 끓다　ぐらぐらと沸き返る
편도선　扁桃腺
평소　平素、普段
포기하다 あきらめる
포함　包含
폭신하다 ふわふわしている
폭염　猛暑
풀어놓다 自由に述べる
품질　品質
피부과　皮膚科
핏물　血の水
핑계　言い訳、口実

ㅎ

하늘다람쥐　ムササビ
하늘색　水色
한가하다 暇だ
한편　一方
항공사　航空会社
해롭다　害になる、有害だ
해수면　海水面
해양오염 海洋汚染
해체설　解散説
해파리　クラゲ
핼쑥하다 やつれている
햅쌀　新米
햇볕이 쨍쨍하다
かんかんと日が照りつける
행복　幸福、幸せ
헤어지다 別れる
현관　玄関
현장　現場
형식　形式
호전　好転
혹시　もしかして
혼잣말　独り言
화를 내다　怒る
화면　画面
화장　化粧
화재　火災
화풀이　八つ当たり
환경오염　環境汚染
활기가 넘치다　活気あふれる
황당해하다　呆れている
회수　回数、回収
효과　効果
후회되다　悔やまれる
훔치다　盗む
흉터　傷跡
흘러 들어가다　流れ込む
흘리다　(汗を)流す

金秀晶(キム　スジョン)
ソウル大学国語教育科卒業、同大学大学院国語教育学修士・博士課程修了。
外国人のための韓国語教育専攻。教育学博士。現在、獨協大学教授。

朴鍾厚(パク　ジョンフ)
延世大学校人文学部卒業、同大学大学院国語国文学科修士・博士課程修了。
韓国語文法論専攻。文学博士。現在、同志社大学グローバル地域文化学部准教授。

もう初級者なんて言わせない韓国語
ー中級から上級編ー

2021年　3月　30日　初版発行
2024年　3月　25日　3刷発行

著　者　金秀晶・朴鍾厚
発行者　佐藤和幸
発行所　株式会社　白 帝 社
〒171-0014 東京都豊島区池袋 2-65-1
電話 03-3986-3271　FAX 03-3986-3272
https://www.hakuteisha.co.jp
組版・表紙デザイン　崔貞姫
印刷・製本　ティーケー出版印刷

Printed in Japan〈検印省略〉　ISBN978-4-86398-418-9
*定価は表紙に表示してあります。